L'hallali

JEAN-JACQUES BROCHIER | *ŒUVRES*

Jean-Jacques Brochier

L'hallali

Éditions J'ai lu

Pour Brigitte Massot
en longue amitié
et affection

Avec le temps,
avec le temps, va, tout s'en va
       Léo FERRÉ

1

— Un paquet de Marlboro.

— Huit francs soixante-quinze.

Laurent fouillait en vain dans sa poche; il en était sûr, il lui restait une pièce de dix francs. Les doigts avaient beau explorer le faux gousset pour la monnaie, la pièce restait introuvable. Il sortit ses clés, un kleenex, un ticket de métro périmé. Devant lui, le tenancier du bar-tabac, un petit gros rouge de figure, avec un pull gris sans manches, du genre tricoté à la maison, commençait à s'impatienter. Finalement Laurent sentit sous ses doigts, dans la poche gauche de son pantalon, une pièce de cinq francs. Il changea sa commande.

— Non, plutôt des Gauloises filtre.

— Il faudrait savoir, dit le commerçant en lui rendant vingt centimes.

Laurent poussa la porte. Sur le trottoir, il reprit son exploration. Rien. Il n'avait plus que la petite pièce de laiton jaune. Vingt centimes. Il lui faudrait encore vendre un livre,

l'originale de *Salammbô*, jusque-là farouche-
ment conservée. Et trouver un moyen pour
que personne, surtout Viviane, ne s'aperçoive
de rien.

Ce *Salammbô*, il l'avait découvert dans la
ville de province où ils faisaient leurs études.
En se promenant avec elle dans la rue déserte
d'un vieux quartier, tout quiet sous le soleil
d'été ; ils étaient entrés dans une mercerie-
tabac, de ces boutiques-fouillis où s'entassent
des milliers d'objets fanés, devenus inutiles.
En achetant des cigarettes, il avait vu, sur le
coin de la caisse, trois livres anciens. Une édition apocryphe des *Pensées* de Pascal, un
volume dépareillé des *Œuvres complètes* de
Gilles Ménage, le poète précieux, recouvert de
parchemin, et, dans une reliure classique du
XIXᵉ siècle, demi-chagrin, le roman de Flaubert. Son cœur battait quand il demanda le
prix.

— Vingt mille francs les trois. Ils sont
rares, vous savez.

C'était sans espoir. Puis il se douta que la
mercière parlait en anciens francs. Ça ne faisait pas si longtemps que le gouvernement de
De Gaulle avait décrété le franc lourd, et bien
des gens, surtout les personnes âgées, ne s'y
étaient pas habitués.

— Vingt mille, anciens ?

— Bien sûr, deux cents nouveaux, si vous
préférez.

Laurent était perpétuellement fauché. Viviane farfotait dans un rayon, regardant de petits personnages en porcelaine.

— Tu as de l'argent ?

— Presque rien. Qu'est-ce que tu veux encore acheter ?

— Je t'expliquerai.

Elle avait un billet de cinquante francs. Il revint vers la femme.

— Je peux vous donner ça, pour les retenir. Je passerai avec le reste cet après-midi.

Dehors, il sautait de joie.

— Tu te rends compte, déjà le Pascal c'est formidable. Mais l'édition originale de Flaubert, sur papier japon, l'exemplaire de Sainte-Beuve, une page entière d'envoi manuscrite, c'est introuvable. Introuvable. Et ça vaut des fortunes.

— En attendant, il faut encore cent cinquante francs. Ces cinquante balles, c'était tout ce qui me restait, avec six tickets de restau U.

— Pas de problème. Je trouverai bien quelqu'un qui me les prêtera. Sinon je demanderai à mon père. Pour des livres, il ne dit jamais non.

Souvent, ensuite, ils s'étaient demandé ce que Flaubert, Ménage et Pascal pouvaient faire ensemble dans une mercerie, comment ils s'étaient retrouvés là tous les trois. Si l'on y avait ajouté Diderot, dormait sur un coin de comptoir un abrégé de toute la littérature française classique ! Amusant. Peut-être un gamin les avait-il chipés chez sa grand-mère, et bazardés pour des chewing-gums ou deux paquets de Balto. Un chiffonnier qui débarrassait un grenier ? Ou la mercière qui vendait la bibliothèque de famille par petits morceaux pour acheter les romans médicaux du docteur Soubiran ? Ils inventaient des scénarios, et *Salammbô* était devenu pour eux un fétiche.

A tout bout de champ Laurent ou Viviane commençait pompeusement : « C'était à Mégara, faubourg de Carthage, dans les jardins d'Hamilcar », et les autres les regardaient, interloqués, croyant qu'ils se moquaient. Et puis d'être toujours sans argent et de posséder cet objet luxueux et inutile — on trouvait le texte en poche depuis longtemps —, dont la vente leur eût payé d'agréables vacances, les ravissait. Ils faisaient seulement attention que le volume ne prenne pas le chemin d'une autre bibliothèque, celle d'un copain connaisseur.

Et ce fétiche, il allait devoir le liquider, l'échanger justement contre un peu d'argent si liquide qu'il coulerait aussitôt entre ses doigts : quelques factures trop criardes, quelques jours de vie quotidienne, l'achat d'une reliure analogue, moins chère. Viviane ne regardait pas tous les jours dans le rayon des classiques. Mais par hasard, bientôt sans doute, elle constaterait l'échange frauduleux, et ne lui pardonnerait pas. Comme elle ne lui pardonnerait pas de lui avoir tout caché. Alors il ne lui resterait plus rien.

En plus il lui fallait passer la journée dehors, avec vingt centimes, pour rentrer chez lui, comme d'habitude, vers 7 heures. Demain, aller furtivement retirer le volume de la bibliothèque, trouver un libraire d'ancien qui l'achète et le paye sur-le-champ. Heureusement, il était encore assez bien habillé pour ne pas avoir l'air d'un voleur. Et, pendant une semaine, continuer à donner des coups de téléphone sans résultat, dans des cabines publiques qui ne marchaient jamais, ou devant lesquelles il fallait faire la queue. Dans des quartiers impossibles, pour ne pas tomber par malchance sur Viviane ou un des enfants. Il en avait vraiment plus que sa claque. Un ras-le-bol écœurant, l'envie de tout larguer, de disparaître.

Des gens disparaissaient, en France, il l'avait lu dans un magazine. Et pas quelques-uns ; des centaines, ou des milliers. Assassinés, peut-être, ou accidentés. D'autres aussi, beaucoup, surtout des hommes, devenaient clochards, à l'autre bout de la France. Marre de leur travail, de leur famille, marre de leur vie. Laurent avait été fasciné par l'article. Pourtant, aujourd'hui, il n'était guère tenté. Il détestait la crasse, le gros rouge, le froid de l'hiver. La Légion étrangère ? Il était trop vieux ; haïssait la violence, la vulgarité des hommes entre eux. Nous n'avons plus de colonies; le salaire de la peur, c'est de l'histoire ancienne.

Il se retrouva sur un banc du Luxembourg, rêvant d'un demi bien frais à la terrasse d'une brasserie, d'un déjeuner d'huîtres et d'oursins au Dôme, avec un sancerre blanc glacé. Mais les carnets de chèques, les cartes de crédit, ça aussi, c'était fini, comme les notes qu'on signe négligemment.

Alors, rentrer chez lui en plein milieu de la journée et tout déballer? Ce n'était pas dans sa manière. Il avait été élevé dans une famille, dans un milieu où l'on ne parlait pas d'argent. Ce n'était pas convenable. L'argent, on en avait, c'est-à-dire qu'on en gagnait en travaillant, suffisamment pour vivre « selon ses moyens ». Une ou deux fois ses parents avaient évoqué, à table, quelqu'un qui « avait fait de mauvaises affaires », qui s'était éclipsé, qu'on ne rencontrait plus; un ami pris par l'enfer du jeu, qui avait perdu à la roulette, entraîné par de mauvaises fréquentations, trois mois de revenus en un soir, et avait juré en pleurant à sa femme qu'on ne l'y reprendrait plus.

Laurent avait gardé le pli. Dès qu'il gagna sa vie, l'argent devint sous-entendu. Il travaillait pour en avoir suffisamment, et, si certaines fins de mois étaient difficiles, il n'en parlait pas davantage que de quelque rentrée exceptionnelle. Il détestait l'argent, surtout d'être obligé d'y penser quand il en manquait. Jusqu'alors, il s'était à peu près débrouillé. Mais depuis quelque temps, il était à la fête.

Et le pire n'était pas encore venu. Dans deux mois arrivaient les vacances. Les enfants voudraient partir, l'un en Grèce, l'autre aux États-Unis, n'importe où pourvu que ça soit loin. En principe ils travaillaient pour payer leur voyage, mais, chaque année, il était sollicité d'« avancer » le prix du billet d'avion et de compléter le pécule. C'était aussi le moment où il réglait son action de chasse ; tiens, il devait à la femme du garde quatre mois de la pension du chien. Et le trimestre du loyer, en juillet. *Salammbô* n'y suffirait jamais.

Il s'était levé de son banc, flâna rue Guynemer, puis descendit la rue Bonaparte, remonta depuis le quai la rue de Seine, revint rue Saint-Sulpice. Il s'arrêtait devant les vitrines des libraires. Les meilleures, certainement les plus chères, qui n'exposaient que quelques livres aux reliures parfaitement cirées, n'affichaient aucun prix. Il entra dans deux boutiques, expliquant qu'il recherchait des éditions de Stendhal et de Flaubert. On lui en montra quelques-unes, de qualité moyenne.

Des éditions originales ? Nous n'en avons presque jamais, mon cher monsieur. Elles sont rarissimes, enfouies chez des collectionneurs, ou dans de grandes bibliothèques, apparaissent parfois dans de grandes ventes, à Drouot ou à Londres. On lui indiqua le nom d'un commissaire-priseur, spécialiste des livres, mondialement connu.

Toutefois les libraires n'étaient pas dupes. Ils en avaient tant vu, de ces gens généralement bien vêtus et distingués, qui trouvaient ainsi une entrée en matière et finissaient par proposer des volumes ; ils tombaient du haut de leurs prétentions devant les prix qu'on leur offrait, jetaient au libraire un bref regard de haine, et disaient qu'ils réfléchiraient, pour aller subir la même humiliation dans le magasin d'à côté. Enfin, pressés par la nécessité, ils acceptaient l'argent, sûrs d'être floués. Sans vouloir admettre que, dans toutes les affaires, le prix d'achat et le prix de vente ne sont pas les mêmes, que leurs livres, même s'ils avaient dormi des décennies dans la bibliothèque paternelle, n'étaient pas si beaux ni si rares que ça, et qu'il faut bien que les libraires vivent. Cela, Laurent le savait. Mais il savait aussi que son *Salammbô* était unique.

Trop beau, il s'en rendit vite compte, pour s'en défaire facilement, et surtout rapidement. Si son acheteur le voyait acculé, il en profiterait sans vergogne. C'était aussi la loi. Et s'il demandait d'être réglé immédiatement, en espèces, cela ne simplifierait pas les choses. Il résolut de retourner chez le premier qu'il avait visité, et de lui exposer franchement le cas.

Lorsqu'il poussa la porte pour la seconde fois, le libraire sourit, lui avança une chaise. Deux ou trois clients parcouraient les rayons, titre par titre, silencieusement.

— Voilà. J'ai un livre à vendre. Un livre exceptionnel, unique. Tout à l'heure, je suis venu demander des Stendhal et des Flaubert, je l'ai fait chez quelques-uns de vos collègues, pour savoir quel était le meilleur spécialiste de cette époque. Ils m'ont tous parlé de vous. Parce que ce livre, pour des raisons personnelles, je souhaite le vendre assez vite, et, bien évidemment, à son juste prix.

— Vous avez le volume avec vous ?

— Non. Mais je peux vous dire de quoi il s'agit. Une édition originale de *Salammbô*. Et pas n'importe quel exemplaire. Sur grand papier, avec un envoi manuscrit d'une page, de la main de Flaubert.

L'œil du libraire s'alluma.

— Un envoi à qui ?

— A Sainte-Beuve.

Là, il eut comme un hoquet. Il se rappela d'un coup l'une des plus célèbres polémiques littéraires du XIX⁰ siècle, l'article terrible de Sainte-Beuve dans les *Lundis*, la défense de Flaubert. Cet exemplaire-là, tous les spécialistes pensaient qu'il avait dû exister, mais nul ne l'avait jamais vu. Comme si l'on avait retrouvé *La Chasse spirituelle*, de Rimbaud, la vraie. Il se maîtrisa.

— En effet, c'est fort intéressant. Mais

pardonnez-moi, monsieur, je ne vous connais pas. Un livre comme celui-là, s'il existe, il faut l'expertiser, connaître sa généalogie, reconstituer son histoire. Vous êtes certainement de bonne foi. Pourtant dans ce domaine, comme dans la peinture, ou l'archéologie, il y a aussi des faussaires, par lucre ou simplement par plaisanterie. Je ne peux rien dire avant de l'avoir examiné. Je ne voudrais pas être indiscret, mais je crois connaître tous les bibliophiles et tous les courtiers, en France. Et nous ne vous connaissons pas. Dites-moi au moins comment ce livre est entré en votre possession.

Laurent lui raconta sa promenade d'étudiant, à Lyon, avec Viviane, la petite boutique de la Croix-Rousse, le volume de Flaubert à côté de Pascal et de Ménage. Il avait encore les deux autres, il pouvait les lui montrer aussi. Il ne dit pas pourquoi il avait besoin d'argent, mais précisa qu'il avait travaillé dans l'édition, plus exactement la vente de livres par correspondance. Un monde aussi éloigné du livre ancien que la terre de la lune.

Le libraire commençait à le croire, et à craindre que l'affaire ne lui échappe, s'il ne réagissait pas très vite. Au pire, si la mise était trop forte, il s'associerait avec un collègue.

— Quand pouvez-vous me montrer le volume ?

— Demain matin.

— Cela me donnera le temps d'étudier les catalogues des dernières ventes, pour vous proposer une estimation honnête. Pour un livre de cette qualité, nous devrons nous faire confiance. Si vous désirez également vous défaire du Pascal, apportez-le-moi. Les premières éditions des *Pensées* sont épouvantablement embrouillées, il y en a eu de partielles, de clandestines, d'apocryphes. Toutes posthumes. Je m'intéresse moins au XVIIᵉ siècle, mais enfin, certaines pièces valent assez cher.

Le libraire était un homme prudent qui, en quarante ans de métier, avait vu défiler des centaines de milliers de volumes, certains très rares, les autres, l'immense majorité, banals. Si le Flaubert était authentique, ce serait le couronnement de sa carrière, ces livres qu'on ne voit, et qu'on ne vend, qu'une fois dans sa vie. Comme l'un de ses collègues qui, autrefois, avait acheté, subrepticement il est vrai, le manuscrit des *Maximes* de La Rochefoucauld, dont on parlait encore. On parlerait longtemps de lui s'il possédait, quelques semaines, le *Salammbô* de Sainte-Beuve. Il décida de prendre un petit risque.

— Je ne veux pas vous embarrasser, monsieur ; puisque vous voulez vous séparer d'un livre que vous croyez unique, qui l'est peut-être, un livre auquel vous êtes sentimentalement attaché, c'est certainement que vous avez besoin d'argent. Qui, aujourd'hui, n'en a pas besoin ? Si vous le souhaitez, et sans engagement ni de votre part ni de la mienne, je peux vous confier, comment dirais-je, des arrhes. Que, pour une raison ou une autre, nous ne fassions pas affaire, vous me les rendrez. Oh ! pas une somme considérable, la librairie ne rend pas milliardaire. Cinq mille francs par exemple ?

Laurent fut surpris de cette offre.

— Vous ne me connaissez pas !

— Depuis que je pratique ce métier, je crois savoir un peu à qui j'ai affaire. Ce que vous proposez me semble fabuleux, je ne vous le cache pas, et vous avez l'air honnête, et ennuyé. Si je peux vous rendre ce service... Laissez-moi simplement votre carte.

Cinq mille francs, ce n'était pas grand-chose, seulement une petite bouffée d'oxygène. Mais inespérée. Aujourd'hui, tout de suite, alors qu'il n'avait que vingt centimes sur lui. Il sortit une carte de visite.

— Voulez-vous que je signe un reçu au dos ?

— C'est inutile. Je sais que nous nous reverrons demain.

Le libraire écarta un rideau de reps, passa dans l'arrière-boutique, revint avec une liasse de billets de cinq cents francs, qu'il compta soigneusement jusqu'à dix.

— A demain, cher monsieur Bruyer.

Laurent nota qu'il avait bien lu sa carte, et retenu son nom. Il remercia, s'en alla. Alors, se souvenant de son envie d'huîtres, d'oursins et de sancerre frais, il se dirigea vers le Dôme, allongeant le pas.

2

Voilà plusieurs semaines qu'il n'était revenu là, dans ce Montparnasse où il avait habité quelques années, après avoir été nommé professeur à Paris. A cette époque, la gare que chantait Jacques Dutronc était encore debout, et son horloge, en haut et à gauche du fronton, marquait toujours 5 h 20. Alors les nuits étaient longues. Viviane laissait les enfants endormis, et ils partaient dîner avec des copains à la Coupole, où, rituellement, il achevait son repas par des macarons et un « hot fudge », une glace à la vanille recouverte de chocolat ou de caramel chauds, et d'amandes grillées émincées. Puis commençait la tournée des bistrots, le Select, le Falstaff; on finissait vers 5 heures du matin, au Rosebud, à boire des alexandras qui l'écœuraient un peu. Ils rentraient rue de Rennes, et faisaient l'amour avant de dormir une heure; c'était le moment de réveiller les enfants pour l'école, et, pour lui, d'aller donner des cours dont il ne savait jamais, à l'avance, s'il s'agirait de français, de latin ou de grec, et pour quelle classe. Il avait bloqué ses heures de lycée le matin, pour travailler l'après-midi à sa thèse. Et chaque fois que le réveil sonnait, il se demandait par quel masochisme stupide il avait trouvé le moyen de se condamner aux travaux forcés.

Il avait ainsi erré des heures dans ce quartier, achetant des croissants, à 6 heures du matin, directement au boulanger dans son fournil, qui les lui passait par la lucarne. Il avait cherché la crèmerie où allaient déjeuner les surréalistes, et dont ils peignaient les murs pour payer leur repas, rue Delambre ; se demandait devant quelle loge, tenue par la femme d'un gardien de la paix, rue Notre-Dame-des-Champs ou rue Vavin, s'arrêtait Benjamin Péret pour agresser la concierge, par la fenêtre ouverte au rez-de-chaussée, d'un sonore : « C'est bon, la merde ? » lorsqu'elle était attablée avec son époux. Et, sur le boulevard, en haut de quel réverbère était perché Modigliani lorsque Pierre Brasseur le vit, et se retrouva chez lui, marchant sur des dessins jetés par terre, à boire du gros rouge. Laurent s'était alors si étroitement identifié à Montparnasse qu'il croyait vraiment avoir rencontré Kiki et Foujita, aperçu Aragon et Drieu, les inséparables, s'insultant à une table de bar, à cause de Nancy Cunhard peut-être, et se brouillant pour toujours. Et n'aurait finalement pas été étonné de voir, au Dôme, un médaillon de cuivre portant son nom gravé, Laurent Bruyer, ou, au moins, sa photo dans un des cadres.

Le maître d'hôtel le reconnut, le salua par son nom et il en fut puérilement ragaillardi. On lui donna l'une des tables qu'il aimait, sur la plate-forme centrale, où l'on est tranquille ; il commanda des oursins, des huîtres papillons et des petites belons, un whisky en apéritif, et ouvrit un des magazines qu'il avait achetés en face, à côté de la Rotonde. Quand le plateau arriva, il ne put s'empêcher de pester contre cette détestable manie de servir les fruits de mer sur de la glace, ce qui les gelait, et non sur des algues. Le garçon, qui s'en moquait, acquiesça et promit, comme chaque fois, d'en parler à la direction. Sans oser lui dire que les clients, si on leur apportait, comme on le devrait, les coquillages à la température de l'eau, affolés par l'odeur d'iode, auraient été persuadés que les huîtres et les palourdes n'étaient pas fraîches. Frais et froid, cela va ensemble.

Laurent avait cette faculté de savoir s'absorber dans un plaisir, furtif ou puissant, en oubliant le reste. Le temps qu'il déguste ses oursins, dont il sortait délicatement les croissants orangés du bout de sa petite cuiller, il tenait tout entier entre sa langue et son palais. D'autant qu'ils étaient superbes, ces oursins verts de Bretagne, dont le corail

21

débordait. Une alerte atomique n'eût pas détourné son attention. Il ne feuilletait ses journaux que pour mieux se recueillir entre chaque bouchée. Ce qu'il mangeait était si fin, si délicieux qu'avant d'être venu à bout des six premiers il en commanda derechef une autre demi-douzaine ; c'était encore meilleur que le caviar mais malheureusement, à Paris, presque aussi cher !

Il attendit d'en être au café, et d'avoir demandé une mirabelle — pas glacée, précisa-t-il, avec les huîtres cela suffisait ! — pour se laisser rattraper par ses problèmes. *Salammbô* allait le sauver quelque temps, il était sûr de la valeur du livre. Mais il avait beau chercher partout, elle était son ultime ressource. Il fallait envisager l'après.

Et d'abord Viviane. Tout le monde lui aurait dit qu'elle était son premier appui, que c'est vers elle qu'il aurait dû se tourner immédiatement. Il savait que les choses étaient moins simples.

Pendant plusieurs mois, ils s'étaient croisés à la faculté. Lui inscrit en lettres classiques, elle en sciences économiques, ils se retrouvaient, sans se connaître, aux cours de philo. Petit à petit l'admiration qu'ils portaient à un des professeurs, mal vu des étudiants qui ne le comprenaient pas, détesté de ses collègues qui le jalousaient et dénonçaient, dans la fascination qu'il exerçait sur certains, un talent malsain de gourou, les rapprocha. Bien vite, ils cessèrent de suivre les autres cours. Le latin et le grec qu'on lui dispensait d'une part, le droit et les statistiques dont on la régalait de l'autre, étaient trop simplets, désertiques et moroses, en regard des analyses sur le temps et l'espace, du dévoilement de Bonnard et Cézanne, puis de Mondrian et de Stael, dont leur maître les rendait locataires. Ils avaient l'impression d'accéder au domaine enchanté où schizophrénie et invention, art et pensée logique créaient, en une cohabitation essentielle, les vrais signes de l'humanité. Rien d'abstrait, de sec dans ce que racontait cet homme. Au contraire le tremblement modeste de la découverte, l'exploration hasardeuse, jamais donnée, jamais dogmatique, patiente, prudente et féconde de ce que Heidegger entendait par « être », de ce que Cézanne déployait dans une *Sainte-Victoire*.

Non seulement ça les changeait du refrain bergsonien, marxiste ou antimarxiste que moulinaient quelques fonctionnaires du savoir en pilules, et qui leur était aussi étranger que *L'Épopée de Gilgamesh*, mais ils se trouvaient, émerveillés, en possession de la clé d'Alice, devant le royaume de la Dame de Cœur dont mort, création, pensée et bonheur étaient les points cardinaux.

Des années plus tard, quand Laurent, à la terrasse du Dôme où il s'était rassis pour boire un demi, y repensait, il était sûr d'avoir vécu alors le plus grand bonheur intellectuel, et presque sensuel qu'il ait connu. Qu'un vieil homme aux cheveux gris, dont on ne connaissait que deux textes discrets, dont l'un sur un peintre dépourvu de notoriété, ait pu ainsi les faire entrer, par des marches difficiles mais praticables, dans un univers si fermé et si riche le remplissait encore de joie. Et de cette illusion orgueilleuse de n'avoir pas tout à fait vécu pour rien.

Ils avaient ainsi échappé à la banalité de l'appris-par-cœur, à l'ennui de ces connaissances qu'on empile comme des billets pour, à la fin de l'année, les compter et les échanger contre un diplôme. Ils passaient leurs examens, qui n'étaient guère difficiles, comme on composte un ticket de transport, pour un train qui les menait à ce qu'on appelle la vie active, c'est-à-dire nulle part. En attendant ils lisaient, regardaient des tableaux, pas n'importe lesquels, voyaient quantité de films, jouaient aux cartes.

Ils s'étaient véritablement rencontrés dans une soirée que donnait l'un de leurs amis, joueur de poker acharné et peintre, à leur sens, de grand talent dont le suicide prochain devait les réunir davantage. Viviane était une grande fille blonde, belle, aux traits précis, parfois durs. Tout en elle marquait son peu de goût pour les concessions, les compromis et les compromissions. Laurent, lui, ne s'était jamais demandé à quoi il ressemblait.

Ils ne se connaissaient guère, en fait, bien que tous leurs amis aient vu déjà en eux un couple. Souvent, il est vrai, ils passaient des heures ensemble, à discuter, mais sans cette intimité qui rend tout plus évident. Ils se disaient bonjour, depuis quelque temps s'embrassaient sur les joues en se retrouvant et en se séparant, ni plus ni moins que tout le monde. Ce soir-là l'atmosphère était différente, ils se sentaient seuls au milieu des invités, et si Laurent n'avait eu peur d'être ridicule, il aurait voussoyé Viviane, qu'il tutoyait, comme c'est l'habitude entre étudiants, depuis qu'il la connaissait. Ils dansèrent un peu, parlèrent beaucoup aux autres, dans un effort de politesse, puis partirent ensemble. Et Laurent, sans y prendre garde, se retrouva dans la chambre de Viviane, puis dans son lit.

C'était la première fois qu'il découchait de chez ses parents, où il habitait encore. Viviane était presque dans le même cas, puisque sa logeuse interdisait les visites, à plus forte raison la nuit. Ils se retrouvaient ainsi tous deux, quasiment puceaux, dans une situation où ils transgressaient les habitudes, et les commandements. Leur nuit fut bizarre, maladroite et éperdue, car ils s'étaient découverts éperdument amoureux, ou se l'étaient dit, ce qui revient au même, sans savoir ni l'un ni l'autre ce qui arriverait le lendemain matin.

Dès potron-minet, Laurent rentra chez lui. Son père, médecin qu'un malade avait dérangé en pleine nuit, poussait la porte au même moment. Sans faire de drame ni de commentaires, il se contenta de lui dire :

— Que tu rentres tard, c'est de ton âge. Mais au moins téléphone. Ta mère se faisait du souci, moi aussi.

Laurent n'avait pas eu le temps de trouver une excuse, son père était dans la salle de bains pour se doucher et se raser avant d'aller faire sa visite à l'hôpital.

Pour Viviane les choses s'étaient passées plus sèchement. Elle s'était rendormie, et, en se réveillant vers 10 heures, elle avait trouvé sa logeuse la guettant dans le couloir.

— Mademoiselle Lagrange, il faut que je vous parle. Malgré nos accords, vous avez eu une visite, hier soir. Et toute la nuit.

— En effet, madame.

— Et un jeune homme.

— Vous auriez préféré que ce soit une fille ?

La vieille dame devint cramoisie.

— D'ailleurs, puisque ça ne vous convient pas, je partirai demain.

La logeuse, qui faisait payer cette chambre le prix de tout l'appartement, resta interloquée. Mais Viviane ne revenait jamais sur ce qu'elle avait décidé, et dit.

Le lendemain donc elle boucla sa valise, loua une chambre dans un petit hôtel, en attendant de partager avec une amie, qui avait également un amant, un appartement assez grand, et commodément distribué.

Le lendemain aussi commença pour Laurent cette course infernale qu'il ne devait pas interrompre de toute sa vie, et qui le laissait, trente ans plus tard, à bout de souffle, la course à l'argent.

3

Laurent, jusqu'alors, n'avait pas d'argent, mais il n'en avait jamais manqué. Chez lui, son père seul en gagnait, et donnait à sa mère ce qu'il fallait pour faire vivre largement la maison. Depuis qu'il était enfant, il était nourri, logé, habillé. Tout ce qu'on lui demandait, c'était de bien travailler en classe. Étudiant, rien ne changea. Quand il avait besoin ou envie d'acheter quelque chose, il s'adressait, selon le cas, à son père ou à sa mère. Son père, surtout pour les livres, qu'il dévorait, et les journaux. Sa mère, pour les bricoles de la vie quotidienne, les restaurants souvent chers, où dès l'âge de quinze ans il prit l'habitude d'aller, parfois avec un ami, plutôt que de le recevoir chez lui. Ses parents invitaient peu, et alors en grande pompe, deux ou trois fois par an, des gens de leur monde, de leur âge. On sortait pour l'occasion l'argenterie et les cristaux, le menu comportait invariablement de la langouste thermidor, qu'on commandait chez le meilleur traiteur de la ville. Ces soirs-là, les enfants mangeaient les mêmes plats que les grandes personnes, mais dans une petite pièce attenante à la cuisine, avec les domestiques.

Les autres jours, les repas réunissaient toute la famille, à 7 heures le soir, à midi et demi pour le déjeuner. Dans la grande salle à manger. Il ne serait jamais venu à Laurent l'idée d'amener un convive impromptu, pas davantage d'être en retard, ni absent sans avoir prévenu, et donné une bonne raison. Élève de seconde ou de première, il allait souvent au théâtre, seul, le soir. Il trouvait, en rentrant après le spectacle, un repas froid, servi sur un plateau, qu'il mangeait en discutant avec son père, le seul à n'être pas couché, et qui lisait. Ils parlaient ainsi à voix basse, dans la maison silencieuse, pour ne réveiller personne, et Laurent aimait ces moments de secret. Ses vacances, il les avait également toujours passées en famille. Une semaine, entre Noël et le jour de l'An, au ski ; Pâques et l'été à la campagne, avec sa mère et ses frères et sœurs. Son père venait les rejoindre au mois d'août, et ils allaient ensemble à la pêche.

Aussi bien, chez lui, n'avait-il jamais entendu parler d'argent, de questions d'argent. Même si sa mère, parfois, à propos des dépenses courantes du ménage, constatait : tout est de plus en plus cher. De son premier différend avec l'argent, il n'avait pas gardé un bon souvenir. En allant, un soir, chercher du pain, il avait distrait une des piécettes de la monnaie que la boulangère lui avait rendue. Sa mère s'en était immédiatement aperçue et, reprenant la pièce, lui avait fait toute une leçon de morale sur l'argent qu'on gagne, difficilement, et l'argent qu'on vole. Pourquoi avait-il essayé de carotter quelques sous ? Sans doute une histoire de bonbons. Il s'en était surtout voulu d'avoir été si maladroit. Et n'avait plus jamais recommencé, au moins de cette absurde manière.

Ses premiers problèmes d'argent, c'est à cause des cigarettes qu'il les avait connus. Tout enfant, il voulut faire comme les grands, et d'abord fumer. Puis cela épatait les petits camarades d'école. Mais les seules cigarettes licites, des choses couleur pastel, roses ou vertes, à bout doré, venant de Suisse ou de Turquie, n'apparaissaient qu'à la fin des grands repas de famille, à Noël ou pour les baptêmes. Et pas plus d'une par enfant. Or, au lycée, ils étaient déjà un certain nombre à se pavaner insolemment, une cigarette aux lèvres. Des cigarettes blondes françaises, « goût américain », qui s'appelaient High Life, Balto ou Week-End, avaient un fort parfum de pain d'épice, et qu'on trouvait par paquets de dix : la dépense était moins élevée.

Laurent avait une dizaine d'années et, près de quarante ans plus tard, il se disait que sa mère n'avait pas eu tort de lui interdire de fumer. Il consumait alors quatre ou cinq paquets par jour, et trouvait cela totalement imbécile. Mais à douze ans on ne pense pas comme à cinquante. Et faute de pouvoir demander de l'argent qu'on lui aurait refusé, faute de pouvoir piocher dans les provisions de son père, lequel fumait d'horribles cigarettes brunes qui lui arrachaient les bronches, il prit l'habitude de prélever, dans la poche droite du veston paternel, pendu au porte-manteau, quelques pièces qu'il y trouvait en vrac, avec le trousseau de clés. Son père ne la comptait pas, cette mitraille, du moins Laurent l'espérait-il ; ou peut-être, s'il s'apercevait du larcin, préférait-il ne rien dire ? Un père généreux qui contribuait encore à sa passion du tabac en ne lui réclamant jamais la monnaie, quand il le chargeait d'une course.

C'est à cause de ces accommodements, de ces silences que la vie de famille est supportable. Les hommes le savent mieux que les femmes, volontiers pointilleuses et habituées aux comptes précis. Plus soucieuses de vérité, certainement.

Plus tard, lorsqu'il eut grandi, sa mère toléra de le voir fumer, et il avait suffisamment d'argent de poche pour acheter ce qu'il voulait. Il avait oublié les petites pièces, la poche du veston subrepticement entrebâillée, jusqu'à aujourd'hui. Il constata que son paquet était presque vide, et qu'il en avait assez des Gauloises. Il entra dans un bar, commanda un whisky sur le zinc, et des Marlboro.

Laurent rêvassait devant son verre. Vraiment l'argent lui avait empoisonné la vie, depuis qu'il était entré dans le jeu social, c'est-à-dire depuis qu'il avait rencontré Viviane. C'est à cause d'elle que sa bienheureuse enfance s'était terminée.

Étudiante, Viviane vivait difficilement d'une bourse médiocre, dont les retards de paiement étaient dramatiques. Quand elle avait abandonné les sciences sociales pour la psychologie, la bourse avait encore diminué. Ses parents étaient séparés, elle ne voyait plus son père, et sa mère gagnait modestement sa vie. L'appartement dont elle partageait le loyer absorbait toutes ses ressources, et pour le reste, sorties, spectacles, restaurants, elle s'en remettait à Laurent. Leur liaison s'était peu à peu officialisée parmi les étudiants qu'ils connaissaient, mais Laurent n'en avait pas parlé à ses parents, qui ne l'auraient certainement pas admise. Aujourd'hui il regardait vivre ses propres enfants ; sa fille Charlotte, à dix-sept ans, avait eu naturellement un petit ami, qui avait sur-le-champ fait partie de la famille et avait vécu en partie chez eux, comme ses successeurs, au nombre de deux jusqu'à maintenant ; Adrien faisait de même, rentrant ou ne rentrant pas dîner et dormir, seul ou avec sa « fiancée », selon l'euphémisme, fiancée qui avait déjà changé une fois. Bien sûr ni Laurent ni surtout Viviane n'acceptaient les hébergements à rotation trop rapide — ma maison n'est pas un hôtel de passe, avait dit une fois Viviane à sa fille — mais quand les attachements de l'un pour l'autre semblaient relativement durables, tout se passait pour le mieux. Laurent était certain qu'aimer les gens, c'était faire en sorte qu'ils soient heureux. Il aimait ses enfants.

L'appartement de Viviane était microscopique. Une salle à manger transformée en chambre pour elle, une chambre pour son amie Hélène, plus petite mais moins encombrée de meubles, un lit, une table et deux chaises, une cuisine étroite et un cabinet de toilette. Dans l'entrée, un portemanteau et une petite bibliothèque. Au cinquième étage, dans un quartier excentrique, mais plein sud, toujours ensoleillé, et d'où l'on dominait tout Lyon. Les cloisons étaient en papier, l'intimité nulle. Cela ne dérangeait guère Hélène, qui faisait tranquillement l'amour quand elle en avait envie, même si sa colocataire n'en perdait ni un mot ni un soupir, et se promenait naturellement toute nue, l'été, quand il faisait chaud. Elle s'amusait ainsi à se trouver sur le chemin de Laurent qui rougissait, au début, puis se demanda s'il ne se faisait pas discrètement draguer. Il rêvait parfois d'avoir les deux filles dans son lit, mais Viviane était pudibonde. Impossible, par exemple, qu'elle fasse l'amour quand Hélène était là. Ils avaient essayé par deux fois, mais elle était restée contractée, attentive seulement à empêcher le lit de grincer. Elle avait fini par repousser violemment Laurent, avec un regard de fureur.

Il se souvenait aussi de la terreur dans laquelle ils vivaient tous les deux à l'idée que Viviane ne soit enceinte. Hélène leur avait raconté qu'elle avait déjà subi deux curetages, dont un, en France, aussi sordide que celui qu'imagina Sartre dans un de ses romans. De quoi, disait-elle en riant un peu faux, vous rendre frigide pendant au moins un mois.

Ils étaient tous deux novices en amour, Viviane ayant été autrefois initiée par une femme, l'un des professeurs de son lycée, et Laurent par une étudiante qui n'en connaissait pas bien long. Alors ils s'embrassaient et se caressaient, l'après-midi, quand Hélène était à la faculté, osant rarement conclure. Pourtant, trois mois plus tard, Viviane n'eut pas ses règles. Ils voulaient croire à un simple retard, à une erreur de calcul, mais ils savaient tous deux à quoi s'en tenir. Viviane se rendit, sans dire qui l'envoyait, chez un gynécologue que Laurent connaissait comme un ami de son père, et qui, sciemment pensat-elle, la laissa dans l'incertitude. C'était un médecin catholique, traditionaliste : en retardant le diagnostic, il parviendrait à empêcher l'avortement, la grossesse étant trop avancée. Pourtant il fallut bien qu'il se prononce et, après qu'on eut sacrifié une lapine pour le test, il annonça à Viviane qu'elle attendait effectivement un enfant. Puis la raccompagna à la porte de son cabinet.

Il fallait qu'elle trouve un moyen pour avorter.

Précisément à cause du récit d'Hélène, et du roman de Sartre, la perspective d'une sage-femme au fond d'un couloir crasseux, des ciseaux à broder et de la cuvette d'émail leur faisait horreur. Laurent était fils de médecin, et, à table chez lui, n'entendait parler que de médecine. Il savait ce que c'était qu'une septi-cémie, et avait entendu ses parents raconter que, lorsqu'ils étaient internes, les sœurs des hôpitaux, sur une femme qui était hospitalisée avec une hémorragie pour avoir tenté, avec une aiguille à tricoter, de s'avorter elle-même, ou qui s'était fait aider par une voisine, prati-quaient le curetage sans anesthésie, à vif : elle avait fauté, et du pire des crimes ; qu'elle paie en souffrant comme une damnée. Comme ça, elle comprendrait.

Il restait la Suisse, toute proche. Mais il fallait une adresse. On savait, notamment parmi les étudiantes, que l'avortement y était plus ou moins autorisé, en tout cas pas sévère-ment interdit, comme en France. Même les internes des hôpitaux qui y étaient acculés préféraient envoyer leurs petites amies de l'autre côté de la frontière, plutôt que d'opé-rer eux-mêmes, et de risquer leur carrière médicale, inévitablement brisée s'ils avaient été pris. Trois jours après, Laurent savait quel médecin aller trouver, à Genève, et de qui se réclamer. Le tarif, pour une journée de clinique et la nuit d'hôtel qui suivrait, était de cent mille francs. Anciens, soit, mais pour eux la somme était énorme; alors un livre neuf coûtait au plus mille francs. Il fallait trouver cet argent, et vite, le médecin suisse refusant d'intervenir après deux mois de grossesse. Or le gynécologue lyonnais les avait fait lanterner six semaines.

Pour lui comme pour elle, ce fut un cauchemar. Viviane vivait dans la terreur de l'opération qu'elle allait subir, même si on lui assurait qu'elle serait endormie, que ce serait l'affaire d'un après-midi, et d'une nuit de repos. Laurent devait trouver la somme. Il fit le tour de ses amis, tous aussi peu argentés que lui, en réunit la moitié. En vendant à un bouquiniste, qui l'arnaqua insolemment, une douzaine d'éditions originales d'écrivains surréalistes, ce qu'il avait de plus précieux, il parvint presque au complément. Pendant longtemps il en voulut à ces auteurs qu'il aimait tant de coter si peu cher! Pour le reste, et le prix du voyage, il prétexta de gros traités de philosophie, indispensables (ce qui était vrai, mais pour l'année prochaine : il les emprunterait), et son père lui donna vingt mille francs.

Le rendez-vous avait été pris par téléphone, sans difficulté. Laurent et Viviane débarquèrent sur le quai de la gare de Genève, par un matin froid de février éclairé d'un soleil blême, et s'enquirent du bus qu'il fallait prendre pour se rendre en haut du boulevard des Philosophes. Le nom les avait bien amusés. Ils sonnèrent au premier étage d'un immeuble cossu, furent introduits par une femme de chambre en robe noire, tablier et bonnet blancs, qui les conduisit à une infirmière en uniforme. Ils pénétrèrent dans un immense salon d'attente, meublé de lourds canapés Louis-Philippe, d'un gigantesque piano de concert noir et de plantes vertes. Au mur, de grands tableaux disparates, aux lourds cadres dorées, parmi lesquels il lui sembla identifier un Canaletto et un Gauguin. Tout cela respirait l'organisation parfaite, ce qui était rassurant, et puait le fric. Au prix qu'il demandait, et tout en billets, le médecin ne devait pas être sur la paille.

Une porte s'ouvrit, sur le côté de la pièce opposé à celui par lequel ils étaient entrés, et le médecin les fit passer dans son cabinet. Un homme d'une cinquantaine d'années, en complet-veston gris, une chaîne de montre en or barrant discrètement le gilet, qui leur demanda froidement :

— Pourquoi êtes-vous venus me voir ?

Laurent et Viviane se regardèrent, ébahis. Il devait pourtant être au courant ! Viviane essaya tant bien que mal, timidement, d'expliquer, sans pourtant oser prononcer le mot tabou.

— Je ne comprends pas. Parlez plus clairement.

Il les regardait tous deux, impassible.

Laurent sentit la fureur monter. Ce type se foutait d'eux, les laissait sadiquement mariner dans leur jus. Pourtant, il tenait leur sort au bout de son bistouri. A moins qu'il ne veuille faire monter les prix, ce qui serait catastrophique. Il dit, le plus calmement qu'il put :

— C'est simple. Mademoiselle est enceinte, et ne peut absolument pas garder l'enfant. Nous sommes envoyés par Mlle..., qui a eu le même problème, et que vous avez opérée. D'ailleurs, quand nous avons pris rendez-vous, c'était sur sa recommandation, je l'ai précisé à la personne que j'ai eue au téléphone.

— Vous savez, ce n'est pas si simple. C'est vous, le père ?

— Oui. Qu'est-ce que cela change ?

— En principe, vous devez passer devant une commission de médecins et de psychologues, qui vous entend tous les deux, et qui décide. Cela peut prendre un mois, et je ne peux préjuger de la décision.

— Justement, Mlle... était dans la même situation, et vous avez réglé aussi cette question.

Brusquement Laurent eut peur d'être tombé dans une officine de chantage. Mais le médecin ouvrit un tiroir, en sortit un formulaire imprimé, commença à le remplir. Il demanda à Viviane son nom, son âge, ce qu'elle faisait, lui tendit le papier.

— Signez là, à gauche.

L'imprimé était à en-tête de la commission : avis favorable. Il reprit le papier, le signa à son tour, et le replaça tranquillement dans le tiroir.

— Soyez à ma clinique à 2 heures. Voici l'adresse.

Il tendit une feuille d'ordonnance, qu'il avait détachée d'un bloc.

— Vous prendrez le bus, le numéro est inscrit. L'arrêt est juste en face. Vous connaissez les tarifs ?

Laurent acquiesça d'un signe de tête.

— Vous réglerez ça au bureau de la clinique. On vous dira aussi, là-bas, dans quel hôtel on vous a retenu une chambre.

Il se leva, ouvrit la porte.

— Si vous changez d'avis, appelez la clinique. J'ai beaucoup de travail.

Sur le trottoir, Laurent était ulcéré.

— Tu te rends compte, c'est organisé comme une croisière, et il faisait semblant de ne pas comprendre. Ce bonhomme est vraiment un salaud.

Puis il se calma. Viviane avait besoin de tout sauf de cris. Au mot de croisière, elle avait eu une sorte de hoquet, était restée muette. Pétrifiée de peur. Il lui passa le bras autour du cou, et ils redescendirent le boulevard, enlacés. Le soleil d'hiver donnait l'impression d'une sorte de chaleur. Ils marchèrent au bord du lac, comme des touristes ordinaires, regardant distraitement les cygnes, scrutant les vitrines des libraires. Laurent ne savait si le torrent qui sortait du lac était déjà le Rhône, ou l'Arve. A force de chercher, ils entrèrent dans un bistrot qui n'avait pas l'air trop cher. Incapables de manger. Au moins ils seraient au chaud.

La clinique s'affairait. Des infirmières passaient en tous sens. Après qu'ils eurent versé, au bureau d'admission, les cent mille francs prévus, on leur demanda d'attendre dans une salle où sept autres patientes, dont trois accompagnées d'un homme, étaient assises, visiblement pour la même raison que Viviane. Toutes avaient les traits tirés, l'air anxieux, disant parfois une phrase à voix basse. L'atmosphère était lugubre. Au bout d'un quart d'heure, une infirmière vint chercher les femmes, demanda aux hommes présents de revenir à 5 heures. Gauchement, à la queue leu leu, ils sortirent. Laurent se retrouva dans la rue, avec trois heures à tuer. Il pensa que, pour une petite usine, la clinique avait l'air de bien travailler. Puis se mit à errer dans des avenues désertes aux noms poétiques, au milieu de villas cossues, de jardins dépouillés par l'hiver, dont les allées de gravillons étaient soigneusement ratissées. Un quartier de vieillards riches où, même l'été, on ne devait pas voir beaucoup d'enfants sur les balançoires. Il se jura que, plus tard, il n'habiterait jamais là.

Il n'osait trop s'écarter, de peur de se perdre. Pas un magasin, pas un café ; il était frigorifié. Il finit par trouver un vague bistrot, sans un client. Y but un grog. Il était déjà 4 heures et demie, il repartit.

Viviane était étendue sur un lit, dans une chambre commune. Elle eut un sourire las quand il lui prit la main, murmura seulement : C'était dégoûtant, puis referma les yeux.

L'endroit se prêtait mal aux effusions. Laurent se sentait vaguement coupable, et dégoûté lui aussi. Et se demandait si elle aurait la force de se lever. Il resta ainsi pendant une heure, à côté de Viviane qui somnolait. L'infirmière l'envoya dans le couloir, le temps d'un ultime examen. Viviane sortit ensuite et ils se dirigèrent à pied, lentement, comme deux petits vieux, vers l'hôtel, à trois cents mètres. Elle se recoucha et, sans doute sous l'effet de calmants, se rendormit aussitôt. Laurent la regarda dormir, puis, brisé lui aussi, s'étendit à côté d'elle et plongea dans un sommeil profond. Le lendemain matin, il fallut reprendre le train. Viviane avait un peu mal au ventre. Ils se sourirent pendant tout le voyage, sans beaucoup se parler. Une fois arrivés, Viviane appela un taxi, Laurent se rendit chez lui, à quelques centaines de mètres.

Il avait dit à ses parents qu'il s'absentait pour un voyage d'étudiants. D'une certaine manière, ce n'était que la vérité.

Six mois après, Laurent débarquait sur le quai de la gare de Roanne. L'argent qu'il lui fallait, il allait essayer de le gagner.

En juin, ils avaient passé tous deux les certificats de licence auxquels ils étaient inscrits. Physiquement, Viviane s'était remise de son expérience genevoise. Moralement et sentimentalement, c'était autre chose. Pourtant ils avaient l'impression d'être plus unis, d'avoir un événement, un territoire, fussent-ils pénibles, en commun. L'été, ils étaient allés dans le Midi, où un quotidien bien-pensant, grâce au directeur qui connaissait ses parents, avait confié à Laurent le compte rendu des festivals qui commençaient à se multiplier. Cela leur avait procuré des places gratuites de théâtre et de concert, de quoi subsister richement en logeant chez des copains, en se nourrissant de sandwiches. Ils explorèrent les lignes d'autocars de la région, ce n'était pas toujours une partie de plaisir. Peu à peu ils avaient refait l'amour, toujours dans la terreur, ce qui ne multipliait pas les orgasmes. Hélène était venue les rejoindre une semaine avec son ami. Décontractée, elle; et, sans le dire, ils la jalousaient fort.

Pendant six mois Laurent avait dû faire du trapèze volant pour rembourser ce qu'il avait emprunté; ceux qui lui avaient prêté avaient besoin de leur argent pour les vacances. Il y était presque totalement parvenu, mais en restait fourbu. Aussi avait-il décidé de se louer comme maître auxiliaire.

A cette époque l'Éducation nationale, face au baby-boom des années 50, manquait de bras, embauchait les étudiants nécessiteux comme surveillants ou professeurs. Quand Laurent avait annoncé la nouvelle, ses parents s'étaient étonnés.

— Pour quoi faire ? Ça va nuire à tes études. Et puis, ici, tu as tout ce qu'il te faut.

Précisément il n'avait pas, « ici », tout ce qu'il lui fallait. D'avoir vécu totalement, pendant quelques semaines, avec Viviane, lui rendait insupportable de ne pas la voir autant qu'il voulait, et quand il voulait. Ce que les contraintes de la vie de famille interdisaient. Bien sûr, il continuerait à suivre le maximum de cours, rentrerait à la maison aussi souvent que possible. Il gardait les clés, et sa chambre. Mais il avait aussi envie de voir de quoi son futur métier était fait. Et puis on apprend autrement, et davantage, en enseignant soi-même.

Ses parents furent-ils dupes ou non, Laurent ne le sut pas. Mais, quinze jours après, il était affecté comme maître auxiliaire de français dans un collège technique de Roanne, l'abomination de la désolation. Il aurait préféré un lycée en ville, mais il aurait dû faire fonction de surveillant d'internat, ce qui le consignait tous les soirs et toutes les nuits. Il prit donc ce qu'on lui donnait, pour un salaire de bachelier, puisqu'il n'avait pas terminé sa licence, soit quarante-huit mille francs, et sans indemnités de déplacement, puisque les fonctionnaires sont censés résider là où ils travaillent. L'un de ses professeurs de faculté avait ainsi raté sa cooptation en Sorbonne, au prétexte qu'il ne trouverait jamais d'appartement à Paris.

Descendant du train, Laurent s'enquit du lieu de ses futurs exploits, heureusement proche de la gare. Il se présenta au principal, un vieillard débordé par une rentrée scolaire infernale, qui lui enjoignit d'abord d'être présent à toute heure pendant les jours de classe : son emploi du temps n'était pas établi, il saurait, à chaque récréation, s'il devait donner ou non cours sur-le-champ.

— Ne convient-il pas aussi, monsieur, que je sois là le jeudi, le samedi après-midi et le dimanche ? Au cas où il y aurait des cours supplémentaires !

— Pas de mauvais esprit. Faites ce qu'on vous dit. J'ai déjà assez de problèmes. Pour les horaires, voyez le surveillant général. Encore une chose. Ici les professeurs de français enseignent également l'histoire, la géographie et les sciences naturelles. Comme vos collègues plus anciens n'aiment guère la géographie ni les sciences, attendez-vous à en avoir beaucoup d'heures. C'est normal, vous êtes le dernier arrivé.

— Mais je n'y connais rien, je fais du français, du latin et du grec.

— Aucune importance. Ici il n'y a ni latin ni grec. Ce qui compte, c'est l'apprentissage, les heures d'atelier. Alors, la géographie et les sciences naturelles ! Vous n'aurez qu'à répéter le manuel. Maintenant je vous laisse, j'ai du travail. Bien compris : vous êtes là à chaque récréation. Rassurez-vous, vous aurez votre emploi du temps avant la fin du mois.

Ça commençait bien. Laurent se mit à la recherche du surveillant général. Le concierge le lui montra, au milieu de la cour, un gros jeune homme fort occupé à talocher un gamin de douze ans. Il s'approcha. L'autre, presque d'un seul mouvement, envoya valdinguer le gosse d'une ultime bourrade et tendit la main à Laurent.

— C'est vous, le maître auxiliaire de français ? Ne vous affolez pas, c'est la seule manière d'en venir à bout. Des petits ploucs sournois, bornés comme leurs parents, rien à en tirer.

Et, d'un air presque satisfait :

— Vous avez vu ce foutoir ? Chaque année pareil. Depuis trois ans que je suis là, le vieux est incapable de rien organiser. Et comme il revient de vacances la veille de la rentrée ! Alors on pédale dans la choucroute pendant deux ou trois mois, et ça marche à peu près en juin. Pas la peine de s'inquiéter. Pour ce que les mômes apprennent dans cette boîte.

46

A quatorze ans, ils savent juste prendre un tournevis par le bon bout, et lire l'heure. Encore pas tous.

Laurent, qui avait fait ses études dans un lycée où, à la première heure du premier jour de classe, le premier devoir des élèves était d'inscrire, sur la page de garde du cahier de textes, un emploi du temps qui ne changerait pas de toute l'année, l'écoutait avec ahurissement. Comme s'il était encore potache. Puis il se souvint qu'il était prof. C'était son temps qu'on gaspillait. Lui qui avait pris cet emploi pour être plus libre ! L'autre continuait :

— Je ne me suis pas présenté. Bernard Descombes. Votre nom, je l'ai lu sur la fiche. Votre spécialité, c'est quoi ?

— Français, latin, grec.

— Pas de chance ici. Latin-grec ils ne connaissent pas, le français ils s'en foutent. Ils sont là soi-disant pour apprendre un métier. Vous aurez un collègue, un autre maître auxiliaire, c'est sa deuxième année. Le fils d'un gros boucher de la région, qui a péniblement passé son bachot et vaguement entamé une capacité en droit. Vous dire s'il est doué. Eh bien, c'est notre spécialiste de français. Vous voyez où vous êtes tombé. Moi aussi, d'ailleurs. Ce que je voulais, c'était étudier le serbo-croate. J'en fais encore un peu, entre deux engueulades avec les mômes ou avec les profs. Enfin. En attendant, vous n'avez pas cours ce matin. Allez demander à la secrétaire du vieux, elle a des adresses pour trouver une chambre en ville. Essayez de ne pas vous faire avoir, dans ce pays les gens écorcheraient un pou pour avoir la fourrure, et avec les os ils feraient du bouillon ! On se retrouvera pour déjeuner. Midi et demi. Il y a une table pour les profs, dans la même écurie que les élèves. Vous allez voir, c'est pas triste !

Sur ces bonnes paroles, il tourna les talons, laissant Laurent debout au milieu de la cour. Une cour en gravier, avec six platanes chlorotiques entourés d'arcades métalliques. Sur une des portes, une plaque d'émail : bureau du principal. Il frappa et entra. Les secrétaires étaient deux, de part et d'autre d'un immense bureau de bois. L'une des deux était une dame boulotte, d'un âge certain. L'autre, bien plus jeune, jolie, l'air un peu pointu. Une bonne langue devait lui apprendre bientôt qu'elle était la « maman » du principal, et, devant son air effaré, lui expliquer qu'on nomme ainsi, dans la région, les petites amies.

— Bonjour. Je suis le nouveau maître auxiliaire.

— On avait bien pensé, en vous voyant dans la cour.

— Il faut que je trouve une chambre en ville. Le surveillant général m'a dit que vous aviez des adresses.

— Pas grand-chose. Les gens n'aiment pas tellement louer.

La jeune intervint :

— Mais si, vous savez bien, Mme Dumont, place des Quinconces. La femme du représentant, celle qui a plein d'enfants. Elle a laissé son nom et rempli la fiche.

La vieille fouilla dans un dossier, sortit un imprimé jaune.

— Vous avez raison. Elle loue une belle chambre, enfin c'est elle qui le dit. Sept mille francs par mois. Allez visiter, elle est tout le temps chez elle. Pour trouver la place des Quinconces, ce n'est pas difficile. C'est la plus grande place de Roanne. En sortant, sur l'avenue de la Gare, vous prenez la première à gauche, et vous tombez dessus. Elle habite le 19, au cinquième.

Sur le mur était punaisé un grand carton divisé en cases. Verticalement, du lundi au samedi, horizontalement de 8 heures du matin à 6 heures du soir. Quelques cases étaient déjà coloriées, et portaient un nom.

— C'est l'emploi du temps ?

— Pas complet, malheureusement. On place d'abord les professeurs qui ont un autre métier. Par exemple, M. Gardy, qui est comptable à Roanne, ou M. Demaisons, qui a un petit garage. Ils viennent ici quand ça les arrange.

— C'est que (Laurent bafouillait un peu) je suis aussi étudiant. Si vous pouviez regrouper mes dix-huit heures sur trois jours à la file, ça me rendrait service pour mes cours à la faculté.

— Vous savez, repartit la vieille d'un ton pincé, vous êtes le dernier arrivé ; la règle veut que vous preniez ce qui reste. Vous ne voudriez quand même pas passer avant M. Gardy ! D'ailleurs on ne sait pas encore quelles classes vous aurez.

Laurent sourit à la plus jeune qui lui rendit son sourire, les yeux moqueurs.

— On essaiera. Roanne, quand on arrive d'une grande ville, ça n'est pas bien folichon. Mais vous verrez, il y a pourtant des distractions.

La vieille, en entendant ces mots, eut un haut-le-corps, mais ne pipa mot.

— Merci, en tout cas, si vous pouvez faire quelque chose. A tout à l'heure.

Laurent franchit la grille, sous l'œil globuleux du concierge qui faillit le prendre pour l'un des plus grands élèves, se ravisa juste à temps. Il le salua en portant la main à sa casquette. Il semblait, à cette heure, déjà imbibé, avait chaussé des souliers à bascule qu'il conserverait jusqu'au soir.

En marchant vers la place des Quinconces, Laurent ne voyait pas précisément la vie en rose. La ville lui paraissait morne, laide, sinistre. L'immense place, avec ses grands arbres et son kiosque à musique, d'un autre âge. Les façades des cinémas s'écaillaient, les programmes affichés étaient nuls. Il se consolait comme il pouvait en se disant qu'il serait coincé là au plus quatre jours par semaine,

50

que c'était le prix à payer, et qu'il se promenait dans un roman de Balzac ou de Huysmans méchamment situé dans une ville de garnison.

En matière de misérabilisme, la logeuse et la chambre n'allaient pas le décevoir. A son coup de sonnette, après cinq étages d'un escalier de bois sale et mal éclairé, parut une grande femme dont les mèches brunes et grises s'échappaient d'un fichu mal noué. On entendait au fond de l'appartement des cris et des pleurs de mioches qui se battaient. Elle le regarda avec une méfiance haineuse, comme s'il prétendait lui vendre un aspirateur. Il indiqua l'objet de sa visite.

— Alors, entrez, je vais vous faire voir. C'est une belle chambre, la plus belle de l'appartement.

Il y eut un hurlement, elle le planta dans l'entrée, courut dans ce qu'il entrevit comme la cuisine, le temps qu'elle ouvre et ferme la porte, un bruit de gifles. Elle revint.

— Ces gosses sont insupportables.

Puis, craignant sans doute qu'à cause d'eux la location ne lui passe sous le nez, elle se reprit.

— Enfin, de temps en temps. Le soir, ils sont plus calmes. Même le dernier, qui a cinq mois. Je les couche tôt. Vous aurez la paix.

Le couloir sentait la soupe de poireaux et le lait tiède, une ampoule pendait au bout d'un fil. Laurent se glissa derrière elle le long d'une commode qui prenait toute la place, se meurtrissant la hanche contre la clé d'un tiroir.

— C'est là.

Elle montrait une pièce dont la fenêtre donnait sur une cour; un lit d'une place, recouvert d'un tissu violacé, une petite table en pitchpin et une chaise.

— Et le placard fait penderie. Pour la salle de bains, vous pourrez utiliser la nôtre, la porte à côté dans le couloir. Vous avez deux radiateurs, cet hiver vous serez bien chauffé. A Roanne, il fait froid l'hiver. Je vous demande seulement de ne pas recevoir de visites, surtout des femmes. Mon mari est très à cheval là-dessus, nous sommes catholiques pratiquants. D'ailleurs, ajouta-t-elle comme une sorte de preuve, j'ai cinq enfants.

Elle ne tarissait pas.

— Il n'est pas là aujourd'hui, il n'est pas souvent là. Il est représentant. Oh! il n'a pas de bonnes cartes, nous ne sommes pas riches. Sans quoi je ne louerais pas la plus belle pièce.

Laurent se demanda comment pouvaient bien être les autres. A regarder cette bonne femme, ses mains gonflées, son fichu, son tablier, ses yeux et son nez rouges qui semblaient prêts à se liquéfier, il crut être tombé de Huysmans dans un mauvais mélo façon Zola, un film néo-réaliste italien, et il avait envie de s'enfuir au plus vite. Puis il réfléchit qu'au collège il n'y avait pas d'autre adresse, que l'hôtel était trop cher.

— D'accord, je la prends. Combien par mois ?

— Sept mille cinq cents francs, payables d'avance.

— Mais, au collège, ils m'ont parlé de sept mille !

— C'était au printemps, quand j'ai rempli leur papier. Depuis, la vie a augmenté. Tout est si cher, et le chauffage en hiver. Vous avez deux radiateurs, il n'y en a que deux autres pour le reste de la maison. Pensez !

Une goutte tremblait au bout de son nez, qu'elle essuya du coin de son tablier. Il craignit qu'elle ne se mette à sangloter en se tordant les mains. Enrhumée si fort en septembre, qu'est-ce que ça allait être à Noël. Et il lui fauchait, pour lui tout seul, la moitié du chauffage !

Laurent, devant un second whisky, repensant à cette scène, comprit que là il avait pris en haine la misère et les pauvres.

Le déjeuner à la cantine allait achever le tableau. Les professeurs mangeaient dans la même salle que les élèves, mais leur table était perchée sur une estrade. Laurent ne perdait rien du spectacle : deux cents enfants en blouse grise qui braillaient, vaguement contenus par deux pions qui allaient et venaient entre les tables. Les plus grands se ruaient les premiers sur des gamelles douteuses, pleines de purées indéfinies où nageaient des morceaux de ragoût. Sur chaque table, des carafes d'eau trouble. Parfois un litre de vin bon marché circulait brièvement, puis disparaissait, sans que personne fît mine de rien voir. Au dessert les morceaux de pain volaient dans tous les coins, et les petits se plaignaient que les plats étaient vides quand ils arrivaient de leur côté.

Cinq de ses collègues, comme ils aimaient s'appeler entre eux, déjeunaient avec Laurent. Des gens de l'extérieur, comme lui, ou qui habitaient des faubourgs éloignés. Laurent comprit vite que le corps enseignant, ici, se divisait en deux. D'un côté les riches, ou les moins pauvres, installés dans la ville, pourvus de maisons et de situations, pour qui le collège n'était qu'un travail d'appoint. De l'autre, les pauvres, comme lui, qui n'avaient que ça pour vivre. En face de lui un chef d'atelier racontait qu'il était devenu professeur technique parce que sa petite entreprise de serrurerie avait fait faillite. En dehors de ses heures ici, il travaillait un peu au noir, et proposait ses services aux autres, s'ils cherchaient quelqu'un pour installer leur appartement, réparer une porte ou bricoler de la plomberie. C'était un petit homme timide, un béret marron vissé en permanence sur un crâne dont Laurent ne sut jamais s'il était chauve.

Le seul sympathique. Les quatre autres, des Topaze débiles. Des vieux instituteurs que leur passage au collège, et le titre de professeur qu'il leur valait emplissaient d'une solennité pompeuse, signe de leur mérite et de leur savoir. Ce savoir, ils l'avaient, il était à eux, c'était eux ; et quiconque n'était pas de leur avis était pire qu'un crétin, un ennemi du savoir, un traître, juste bon pour le poteau. Ils regardaient Laurent avec méfiance, ce blanc-bec qui avait l'âge d'un élève, qui venait de la ville et de la Faculté, et qui semblait ne rien prendre au sérieux, surtout pas les professeurs, ni le collège lui-même. Le moniteur de gymnastique avait dû être adjudant de carrière ; alcoolique au visage couperosé, lorsqu'il ouvrit une bouche à chicots, il expliqua que la seule méthode, avec les enfants comme avec les hommes, c'était la force.

— Au moins, ils vous respectent.

Enfin une dame de cinquante ans, dont Laurent comprit qu'elle enseignait l'anglais et la physique, après avoir eu des revers de fortune et être « tombée veuve ». Au début du repas, dépliant une serviette qu'elle tira de la gibecière où elle transportait livres et cahiers, elle chuchota à Laurent, l'œil gourmand :

— Vous savez, ici, les professeurs mangent la même chose que les élèves, mais ils sont mieux servis. Parfois, la cuisinière leur confectionne un petit plat supplémentaire.

En regardant l'infecte tambouille qu'on leur avait apportée, Laurent s'était dit que les élèves avaient de la chance d'en avoir moins. Il ne toucha à aucun des plats, fumant cigarette sur cigarette pour chasser l'odeur du ragoût. Il avait demandé à la dame si la fumée ne la gênait pas ; l'un des deux instituteurs avait gravement remarqué que la fumée dénature le goût des plats, et peut déranger aussi les hommes. Avec une grossièreté voulue, Laurent répondit :

— C'est bien pour ça que je le fais, sans préciser si c'était pour la première ou la seconde raison, et l'incident fut clos.

Le dernier convive était cet autre maître auxiliaire de français dont Bernard Descombes avait parlé à Laurent, le fils du boucher. Un garçon à la chair blême et aux yeux verts, à la peau molle, assez laid, bien habillé. D'emblée il tutoya Laurent, comme si leur âge les rendait complices face aux autres. Après le repas, et une sorte de breuvage marron qui devait être le café de la cantine, ils sortirent dans la cour.

— Qu'est-ce que tu es venu trafiquer dans ce souk, au lieu de rester à Lyon ?

— J'avais besoin d'argent. Et puis de sortir de chez moi.

— Moi, c'est un peu pareil. Pourtant ce n'est pas avec ce qu'ils nous filent qu'on peut vivre. Juste les cigarettes. Mais mes parents sont tellement fiers, dans leur bled. Tu te rends compte, le fils du boucher et de la bouchère, on m'appelle monsieur le professeur. Alors ils me donnent tout le fric que je veux, jusqu'à quatre ou cinq cents sacs par mois. De toute façon ils s'en foutent, ils en gagnent à la pelle. Et pendant la guerre, tu n'imagines pas ce qu'ils ont pu mettre à gauche. Mon père avait trouvé des combines pour envoyer de la bidoche jusqu'à Paris. Son coup de génie, c'est qu'il ne voulait pas de billets ; juste des dollars, vers la fin. De l'or, ou des cessions de parts, de boutiques. Il doit avoir sept ou huit boîtes, des trucs aux Halles. Je ne sais même pas. Et ils vivent comme des ploucs, à marner du matin au soir. Faut-il être con !

— Mais pourquoi n'es-tu pas resté étudiant ?

— Les examens, c'est pas pour moi. Moi, ce qui m'intéresse, c'est la moto, et le cul. Je baise autant que je peux, avec n'importe quelle bonne femme, du moment qu'elle marche. Et si tu as du fric, elles marchent toutes. Et la moto. Pas la bagnole.

Il montrait, de l'autre côté de la grille, une énorme BMW.

— Alors, les examens ! Je n'y allais pas, ou je ratais, ils rouspétaient. Tandis que maintenant, pour eux, professeur, j'ai réussi. C'est ça qu'ils voulaient, un fils qui réussisse, et pas dans la boucherie ni dans un garage. Dans un métier où on ait les mains propres. Médecin, avocat. Professeur, ça leur va. Ils ne font pas de différence, maître auxiliaire ou agrégé. Ils sont même plus flattés que si j'étais assistant en fac. Assistant c'est moins bien que professeur. Ma mère, en vendant ses escalopes, commence toutes ses phrases par : comme dit mon fils, qui est professeur. Ils savent que les fonctionnaires sont mal payés, ils complètent. Si je leur demandais une brique, ils me la donneraient. D'ailleurs, avec le loyer et le reste, ils ne doivent pas en être loin. Alors tous ces bouseux, ici, tu parles si je m'en fiche.

— Mais pourquoi viens-tu manger ici? C'est dégueulasse, ce qu'on nous a apporté.

— La bouffe aussi, je m'en fous. On m'a tellement cassé les pieds, quand j'étais môme, avec la viande. La meilleure, c'était toujours pour moi. Les restaurants, c'est pour draguer. Ici c'est plus simple.

L'après-midi, Laurent n'avait toujours pas d'élèves. A trois heures, las d'attendre, il annonça au concierge qu'il reviendrait le lendemain matin. Il se promena dans la ville, découvrit avec surprise une librairie de premier ordre, fouina longtemps, trouva un exemplaire de la correspondance de Cézanne, fort rare, en lut la moitié dans un bistrot, en buvant de la bière. L'idée de dîner au collège le révulsait. Il acheta deux brioches et du chocolat qu'il mangea dans sa chambre, en poursuivant sa lecture. De l'autre côté de la cloison, les enfants hurlaient.

4

Pendant huit mois, Laurent mena ainsi une vie coupée en deux. Le lundi matin, il prenait le train pour Roanne à 6 heures. L'hiver, les quais de la gare étaient une antichambre de l'enfer, les courants d'air froid le découpaient au rasoir. Dans le wagon les canadiennes fumaient et l'atmosphère, saturée d'humidité, de tabac et de sueur était irrespirable. Une fois pénétré de cette chaleur puante, il fallait retourner dans le froid, jusqu'au collège. Puis il repartait le mercredi à midi et, derechef, reprenait le train le jeudi soir jusqu'au samedi après-midi. Parfois il parvenait à attraper une micheline le mardi soir, passait alors toute la nuit avec Viviane. Le plus souvent il avait quatre nuits à Roanne et trois à Lyon où il rentrait, même tard, chez ses parents. Il n'empruntait plus guère le chemin de la faculté, s'y rendait de temps en temps le mercredi soir ou le jeudi matin, assistait à un cours au vol.

Il était censé, dans sa chambre, travailler le

soir. Mais les deux fameux radiateurs avaient donné la preuve de leur inutilité : ils étaient imperturbablement froids. Laurent l'avait deux fois reproché à la logeuse, qui avait promis de convoquer le plombier. Mais comme le reste de l'appartement, salle de bains comprise, était également gelé, il en avait déduit qu'elle n'allumait pas le chauffage. Mieux, quand il n'était pas là elle devait faire coucher dans son lit un ou deux de ses moutards. Il avait même retrouvé un pyjama d'enfant sous son oreiller. Comme il s'en fichait, il n'avait rien dit. Pour son bonheur il aurait mieux valu qu'elle y abritât un amant de passage, un représentant dont la tournée ne coïncidait pas avec celle de son mari. Aucune chance ; elle n'avait pas la tête à ça, ni le reste. Parfois il allait jouer une partie de la nuit au poker et au bridge avec les surveillants d'internat et dormait un peu au hasard dans un lit inoccupé du collège. Il emportait son rasoir et sa brosse à dents et quand il descendait, à 8 heures, ses élèves ouvraient des yeux ronds en le voyant arriver des étages.

Ses élèves, il avait d'abord eu peur d'en avoir peur. Ils étaient cinquante par classe et certains, presque de son âge, mesuraient une tête et pesaient quinze kilos de plus que lui. Il avait vite compris que c'étaient, dans l'ensemble, de braves bougres un peu abrutis, et que ce qu'ils devaient apprendre avec lui, ils ne le sauraient jamais. Les plus jeunes débarquaient

60

de l'école primaire, où ils avaient ânonné et appris par cœur un peu de grammaire et les quatre opérations. Les plus grands avaient subi la même moulinette plus longtemps. Un des professeurs du collège, au bord de la retraite, lui avait montré un jour une pile de cahiers.

— Là, avait-il dit, j'ai écrit entièrement tous mes cours de français, d'histoire et de géographie pour toutes les classes, de la sixième à la troisième, lorsque j'ai débuté. J'ai beaucoup travaillé, vous savez, mais ça n'a pas été du travail perdu. Selon la classe que j'ai, je lis le cours, je leur fais recopier et ils doivent me le réciter à la leçon suivante. Voilà plus de trente ans que je m'en sers, et tout le monde est satisfait, particulièrement le principal et M. l'Inspecteur.

Laurent en était resté baba. Voilà plus de trente ans que ce vieil imbécile gavait ces pauvres gosses des mêmes âneries et il en était fier ! Fallait-il que les élèves soient conditionnés pour n'avoir pas mis le feu à la boîte, et les fameux cahiers au milieu. En fait ils étaient totalement apathiques, comme anesthésiés, rivés à leur machine de tourneur ou de mécanicien quatre heures par jour, pour un métier qu'ils auraient mieux appris chez un patron, où ils auraient eu au moins quelques moments de rigolade ou de liberté. Lorsqu'il s'était étonné, devant le principal, du désert mental où on les promenait, l'autre avait répondu froidement :

— Pour ce qu'ils feront plus tard, c'est bien suffisant.

De plus ils étaient sous-alimentés. Pour cette raison simple que le surveillant général, un jour qu'ils avaient un peu picolé ensemble — Laurent s'était pris d'une vraie amitié pour le passionné de serbo-croate —, lui avait dévoilée.

— Tu comprends, mon petit vieux, il faut bien vivre. L'intendant est en cheville avec des commerçants qui lui refilent leur plus mauvaise camelote, moyennant une solide ristourne. Et il partage avec le patron. Alors les bas morceaux, le poisson pas frais, le fromage qui marche tout seul, ça y va. En plus son beau-frère est maraîcher, et il a une épicerie. Quand il a des choux montés, des oranges blettes, va pour le collège. C'est connu, les intendants, ici, font deux ans avant d'être virés; ou plutôt ils s'en vont avant que le scandale n'éclate. Mais ils ont fait leur magot. Celui-là, c'est le deuxième que je connais, il est comme le précédent. Il y a sept ans, paraît-il, l'intendant avait tellement exagéré qu'on l'a condamné. Dix mille balles d'amende, tu parles s'il s'en moquait.

— Mais il n'y a pas un parent pour protester, quand son môme a la colique, qu'il devient tout maigre?

— Les parents, du moment qu'il n'y a pas d'histoires... En plus ils mangent la même chose, les trois quarts du temps. Et puis le principal dirait que c'est faux, menacerait de renvoyer le gamin. Écoute, tu vois le boucher sur la petite place, juste après le collège ? Vas-y de la part du patron, sans rien ajouter, bien sûr. Tu vas comprendre.

Après avoir hésité trois jours, Laurent se rendit enfin à la boucherie et demanda un bifteck, en précisant qu'il venait de la part du principal. Le boucher revint avec une tranche de faux filet d'au moins une livre, qu'il enveloppa sans la peser. Quand Laurent voulut payer :

— Pas la peine. Nous sommes en compte, avec votre collège. Un jeune homme de votre âge, il faut qu'il mange, et de la bonne viande. Revenez quand vous voudrez.

Assez rapidement, Laurent avait rencontré deux ou trois personnes avec qui passer la soirée agréablement, et il commençait, malgré la fatigue et l'inconfort, à trouver que cette vie en partie double avait ses bons côtés. Viviane, à qui il manquait, lui faisait fête quand il revenait. A Roanne, passé l'ennui du collège, l'ennui surtout des autres professeurs, qu'il évitait autant qu'il pouvait, il avait trouvé quelques amis, avec lesquels il dînait ou allait au cinéma. Parmi eux un répétiteur de mathématiques, étudiant comme lui à Lyon, excellent bridgeur et cinéphile averti. Ils fréquentaient tous deux une microscopique salle du faubourg, dont les fauteuils étaient malheureusement hantés par nombre de puces, voyaient de vieux westerns, et les conseillaient à leurs élèves, qu'ils y rencontraient le lendemain. La soirée se terminait devant un verre, dans l'un des rares bistrots ouverts après 10 heures du soir. En classe, ils leur en parlaient, ce qui étonnait.

Un jour, le principal fit remarquer à Laurent et à son ami qu'un tel endroit, fréquenté surtout par des ouvriers du textile et des immigrés, n'était guère convenable pour des gens comme eux. A plus forte raison était-il choquant de les voir recommander cette salle à leurs élèves ; certains parents lui en avaient parlé. Il y avait assez de bons cinémas à Roanne !

Laurent, pour qui la formule fameuse : « le cinéma américain, ce pléonasme », était parole d'évangile, rétorqua que n'importe quel film de série B, pour peu qu'il vienne de l'autre côté de l'Atlantique, valait cent fois le navet français le plus célèbre, et proposa, pour les plus grands de ses élèves, de remplacer une heure de cours de français par une heure de cours sur le cinéma, cours auquel ses collègues seraient volontiers conviés. Le principal, qui ne savait jamais si son maître auxiliaire ne se payait pas sa tête, leva les bras, horrifié, et il ne fut plus question de rien.

Bernard Descombes et sa femme appartenaient à ce petit cercle, et, aujourd'hui, Laurent songeait avec étonnement au rôle que cette rencontre de hasard allait jouer plus tard dans sa vie. Ils invitaient souvent Laurent et son matheux de copain à dîner. Chacun apportait des bouteilles, et la soirée était longue. Un soir la secrétaire du principal était là.

— Tu connais Valérie ?

— Parfaitement. Bonjour. Je ne sais pas si je dois vous remercier. Vous m'avez procuré la chambre la plus sinistre et la plus froide de Roanne. Chez une bonne femme cagote, pleine d'enfants et de principes, en plus.

— Excusez-moi. C'est tout ce que j'avais. Si j'avais su, je vous aurais indiqué un trois-étoiles.

Le dîner commença plutôt froidement. Ensuite, le whisky aidant, tout s'arrangea, et Laurent s'offrit à raccompagner la jeune femme.

— Pardonnez-moi, pour tout à l'heure. Mais quand je dois rentrer dans ce trou à rats surgelé, j'ai le blues. Et puis cette ville, ce collège. Heureusement il y a Bernard, vous, deux ou trois autres. Qu'est-ce que vous pouvez fabriquer, tous les jours de la vie, dans un endroit pareil ?

Elle le regarda avec un sourire en coin.

— Vous savez, ici, c'est comme partout. Toute ville, tout village a des ressources insoupçonnées.

Elle était arrivée, sortit son trousseau de clés. Il l'embrassa sur la joue, lui souhaita le bonsoir.

La semaine suivante, il la conduisit une fois au cinéma, puis deux soirs la semaine d'après.

Elle n'avait guère été séduite par les puces du Gloria Palace, préférait les balcons en velours bleu des grandes salles de la place des Quinconces, théâtres transformés devenus hideux. Il lui fit voir un vieux *Tarzan*, découvrir *Winchester 73*, lui expliqua le plaisir qu'il y prenait. Tout compte fait elle trouva ça plus snob que le dernier Gabin, et fut ravie. Un soir, il l'invita à dîner, devant la gare, dans un restaurant réputé de Roanne, et qui commençait à devenir célèbre, Troisgros. Leur conversation devint plus personnelle. Ils s'entendaient bien, c'est-à-dire qu'elle l'écoutait parler.

Valérie était la fille de petits employés des filatures, qui faisaient vivre bon nombre de gens dans la région. Elle était allée à l'école jusqu'au brevet puis, après un concours administratif, entrée comme secrétaire au collège. Qu'un intellectuel de la grande ville, ainsi voyait-elle Laurent, s'intéresse à elle, la flattait. Après le repas, elle lui proposa de boire quelque chose chez elle.

— Ne faites pas de bruit, les voisins sont curieux comme des pies.

Elle avait même du whisky. Puis, de baisers en caresses, elle mit Laurent dans son lit, un Laurent étonné de n'être pas étendu à côté de Viviane, ravi.

Ils firent l'amour avec beaucoup de tendresse et d'insouciance. La terreur de faire un enfant, qui le nouait, avait disparu. Et Valérie l'émerveillait, de s'offrir entièrement, en toute simplicité. Il s'inquiéta pourtant :

— Tu n'as pas peur ? Tu ne m'as pas demandé de faire attention.

— Inutile. Dans la banlieue, il y a un vieux pharmacien qui fait venir des trucs de Suisse. Ça s'appelle un diaphragme. J'ai vu le même mot dans une publicité pour des appareils de photo. Avec ça on ne risque rien. Il est marrant, ce vieux. Il veut bien en vendre, mais il veut te montrer lui-même comment on le met. Ce n'est pas méchant. Si ça lui fait plaisir ! Toutes les filles connaissent son adresse. Il a dû voir tous les minous de la ville !

Elle riait d'un rire clair, charmant.

— Tu vois, quand je te disais que, même ici, il y a des ressources !

Laurent s'était rarement senti aussi bien. Valérie était parfaitement jolie, avec son petit nez en l'air et son sourire, son corps doux. Il pensa : chaud comme une caille. Ils allumèrent chacun une cigarette, le coude sur l'oreiller, à se regarder et à bavarder comme s'ils se connaissaient depuis toujours.

— Tu sais, ici, c'est la grande affaire, avoir un petit ami, faire l'amour. Moi, j'ai de la chance, je suis indépendante, je vis depuis un an seule dans cet appartement. Mais ne va pas croire. Je n'y amène presque personne. Tu es le deuxième. Tu me plais, depuis que je t'ai vu dans le bureau. Tu n'avais pas l'air bouseux, comme les autres. Tu veux savoir ? Il y en a un autre, qui me plaît bien. Ton ami le professeur de maths. Pourtant tu me plais mieux.

— Et qu'est-ce qu'elle en pense, la vieille chipie qui est en face de toi, au collège ?

— On se déteste. Un jour, elle m'a rencontrée dans la rue avec un garçon, on se tenait par la main et on s'embrassait un peu. Elle a téléphoné à mes parents. Je ne sais pas comment elle a trouvé mon adresse, peut-être en regardant dans mon dossier. Ma mère m'a joué une de ces comédies ! Alors j'ai dit à ce chameau que je faisais ce que je voulais, que je n'étais pas sa fille, et que, si elle recommençait, je lui arrachais son chignon. Je ne me suis pas dégonflée. Et comme il est faux, elle a eu peur. Elle se venge en racontant partout que je couche avec le principal. Il aurait bien voulu, mais pas moi. Je ne veux pas être obligée, j'aime choisir toute seule.

Elle éteignit sa cigarette, embrassa Laurent.

— Tu veux encore ?

Il ne demandait que ça.

Elle s'étira comme un chat au soleil, un enfant qu'on réveille le matin.

— Je ne connais rien de meilleur. Et tu es tendre.

Elle le regardait, se tortillait dans le lit, comme si elle était embarrassée, qu'elle hésitait à parler. Laurent eut peur de la grande scène de passion, qui ficherait en l'air tout le bonheur de cette nuit.

— Tu veux savoir, il faut que je te dise.

Maintenant je voudrais que tu rentres chez toi. Ce n'est pas sympa, il fait froid, et tu m'as assez répété que ta piaule n'est pas chauffée. Voilà, je me suis toujours promis de prendre mon petit déjeuner avec celui qui resterait avec moi. Pas pour la vie, je ne suis pas idiote. Au moins quelques années. Toi, tu passes, dans six mois tu seras parti. Je te vois mal rester à Roanne. Ça te semble sentimental ? Un peu bête ? Ce n'est pas à cause de ce qu'on peut dire ; les voisins, je m'en fiche. C'est juste mon petit cinéma. Tu n'es pas fâché, au moins ? Tu m'as fait passer un moment épatant. Reviens souvent. Quand tu veux. Mais laisse-moi la fin de la nuit.

Elle avait la voix qui tremblait un peu, la gorge gonflée comme si elle allait pleurer. Malgré le froid qui le guettait derrière la porte, Laurent trouvait ça sublime.

— Tu as tort de t'en faire. Je comprends très bien. J'aime les grandes personnes, surtout quand elles sont aussi jolies que toi. Tu peux être sûre, je reviendrai. Plutôt deux fois qu'une !

Il s'était levé, s'habillait, passa se coiffer dans la salle de bains. Elle l'attendait devant la porte ; nue, elle se déplaçait avec une grâce et un naturel singuliers. Vraiment elle était jolie. Il lui posa sur les lèvres un baiser en ailes de papillon.

— Tu es magnifique. Ça te va bien d'être nue. Je t'adore. A demain.

Elle resta dans l'encadrement éclairé de la porte, en ombre chinoise, pendant qu'il descendait les marches à pas feutrés, se retournant pour lui envoyer des baisers du bout des doigts. Puis la serrure claqua doucement. Sur le trottoir Laurent respira l'air glacé avec bonheur. Il se souvint du fils du boucher, de ses minables histoires de cul, et pensa que lui, il avait de la chance.

Le lendemain matin, quand il la croisa dans le couloir du collège, il lui sourit. Elle le fixait, inquiète.

— Quand est-ce qu'on se voit ? Cet après-midi, je pars à Lyon. Lundi soir ?

— Vraiment tu ne m'en veux pas ? Quand j'ai pensé au froid, dehors, je me suis trouvée ridicule, mauvaise.

— Mais non. A lundi. Nous irons d'abord dîner ensemble quelque part. Je t'adore, tu es merveilleuse.

— Lundi tu dîneras chez moi, avec moi.

Les élèves et les professeurs passaient. Inutile que tout le monde soit au courant. Il lui fit un petit clin d'œil, et, tout guilleret, s'en fut dans sa classe. En initiant cinquante enfants aux délices différentiels de l'attribut du sujet et de l'attribut du complément d'objet, il pensait franchement à autre chose.

Pendant les mois qu'il passa à Roanne, Laurent entretint avec Valérie la plus heureuse des liaisons. Souvent il fut tenté de rester davantage, de partager avec elle les nuits où il dormait, d'ordinaire, à Lyon, mais il sentait confusément qu'il ne fallait pas changer les règles du jeu, au risque de tout gâcher. D'ailleurs, quand il était au collège, ils ne se retrouvaient pas tous les soirs. Un peu au gré du hasard, de leur fantaisie, de l'envie qu'ils en avaient. Et jamais, s'il se réveillait en pleine nuit, perclus par le désir de faire l'amour avec elle, il n'avait osé se lever, et frapper à sa porte. Quand il le lui racontait, un ou deux jours plus tard, elle aussi s'était réveillée, à peu près au même moment. Puis rendormie, heureuse de le revoir bientôt.

Le plus souvent, elle lui confectionnait une dînette à la maison.

Valérie était très fine cuisinière, savait inventer d'excellents plats avec peu de chose, transformer l'aliment le plus banal. Parfois ils mangeaient au lit, entre deux caresses. Quand il repartait dans la nuit, il se disait que jamais, peut-être, il ne retrouverait cette qualité de bonheur. Or c'était le terme, inévitable, de ce bonheur qui lui donnait cette légèreté, cette intensité. Il ne s'imaginait pas rester à Roanne pour elle. L'aurait-il fait que, sans doute, le bonheur se serait évanoui.

En revenant à Lyon, le lendemain de sa première nuit avec Valérie, Laurent put éprouver ce qu'on appelle l'intuition féminine, et qui le terrifia. Était-ce coïncidence, changement de comportement, d'allure ? Sa mère comme Viviane sentirent que quelque chose s'était passé, sans savoir au juste quoi. Viviane lui demanda s'il avait beaucoup perdu, ou gagné, au poker ; il lui avait dit que parfois, pour se désennuyer, il y passait la nuit entière. Mais les pokers qui durent si longtemps, Viviane le savait bien pour y jouer elle aussi, se soldent presque toujours par des différences infimes. Et même si on a gagné, les heures d'effort, car le poker était une vraie lutte, épuisante, ne sont pas payées au prix que réclame une femme de ménage. Sa mère était plus près du but.

— Tu te sens moins mal, dans ton collège ? Ce que je souhaite, surtout, c'est que ça n'aille pas nuire à tes études. Tu sais, si tu veux arrêter, et revenir à Lyon, tu peux. En un sens, je serais soulagée.

La phrase était curieuse, elle s'en rendit compte.

— Te voir prendre le train si tôt le matin, dans le froid, toujours être en déplacement. Tu vas te crever.

L'année se passa dans toutes ces ambiguïtés où Laurent ne se débrouillait pas trop mal. Sans doute Viviane devait-elle aussi meubler ses soirées solitaires, il l'espérait pour elle. Le sentiment de possession, la jalousie lui étaient viscéralement étrangers. Il avait l'habitude de dire que c'était la pire des maladies vénériennes. Trente ans plus tard, il le pensait encore. Il n'aimait pas poser de questions, ni qu'on lui en pose. Tant que les choses ne sont pas dites, elles n'existent pas vraiment.

Laurent tenait que la politesse est mère de la civilisation. A quoi bon demander ce que l'autre ne vous a pas déjà proposé de lui-même ? Il avait gardé de son éducation ce principe que, s'il ne faut pas mentir, nul n'est tenu de dire toute la vérité, surtout quand personne ne l'exige. Était-ce le climat de Lyon, mais entre le lycée et les bons pères le fossé était moins profond qu'on ne croyait.

Au mois de juin Laurent fut collé à son dernier certificat de licence, ce qui était à prévoir. On lui demandait d'apprendre par cœur d'énormes manuels de philologie grecque et latine (ceux-là mêmes qui avaient contribué à payer l'opération de Viviane, Laurent leur voyait au moins cette qualité), de savoir des mots d'ougrien et de vieil osque, et quantité d'autres choses aussi palpitantes ! Il emprunta les livres à un camarade plus chanceux, travailla pendant les vacances, et fut reçu en septembre.

Alors il retourna un jour à Roanne, prendre congé des amis qu'il s'y était faits, surtout passer une dernière soirée avec Valérie et lui dire adieu. Bernard Descombes avait repris la direction de son bazar. Il fut heureux de voir Laurent, l'invita à dîner. Laurent était pris. Bernard, le seul de tous à avoir compris, l'embrassa en lui souhaitant bonne chance.

— On ne sait jamais, nous nous reverrons peut-être. Moi non plus je n'ai pas l'intention de pourrir toute ma vie ici.

Le dîner de Valérie était particulièrement réussi. Laurent avait apporté du champagne et une énorme brassée de fleurs. Ils étaient gais, non de se séparer, mais d'avoir accompli un délicieux parcours sans faute. Ils firent l'amour avec encore plus de tendresse et de jouissance que d'habitude, comme s'ils se découvraient à nouveau et qu'ils se connaissaient aussi de toute éternité. Laurent se mit sur un coude pour allumer une dernière cigarette avant de se lever; Valérie l'arrêta.

— Fais-moi ce plaisir, reste jusqu'à demain. Ce n'est pas de l'attendrissement idiot. Mais je ne t'ai jamais vu dormir. Toi non plus. Il faut se souvenir de ça aussi.

Il l'embrassa, et ils s'endormirent sagement côte à côte. Lorsqu'ils s'éveillèrent, il était juste temps d'attraper le train. Valérie l'avait accompagné à la gare. Ils rayonnaient.

5

C'est à une représentation des *Paravents,* de Jean Genet, que Laurent retrouva Bernard Descombes. La place de l'Odéon était envahie de flics bleu sombre et plastique luisant, de manifestants qui hurlaient, affublés d'uniformes de parachutistes. Pour parvenir aux marches du théâtre, il fallait se faufiler en se faisant insulter ; si la police laissait les braillards prendre le bâtiment d'assaut, la situation des spectateurs allait devenir précaire. Mais le risque faisait pour ainsi dire partie du programme. Soutenir la pièce avait valeur politique, autant que la conspuer. Quant à Genet, on racontait qu'au premier soir du désordre, on l'avait vu se pencher à une fenêtre du premier étage, regarder la place et éclater d'un grand rire. Logique.

Les lumières s'éteignaient lorsque Laurent et Viviane se glissèrent dans leurs fauteuils, emportés sur-le-champ par cet opéra baroque et solennel auquel la voix de Maria Casarès donnait une férocité effrayante. Parfois, dans la salle, un spectateur se levait pour gueuler quelque slogan injurieux ; on l'expulsait sans dommage. Sans qu'il s'en rende compte, il avait ainsi collaboré au tragique de la pièce, et à sa force. A l'entracte, les assistants mirent plusieurs secondes à rompre l'envoûtement. Laurent sentit qu'on lui touchait l'épaule. Un homme élégant, de son âge, qui souriait.

— Tu ne me remets pas ? Roanne, le collège technique...

— Bernard !

Laurent eut un instant de recul. Il ne détestait rien tant que ces inconnus qui vous accostent tout à trac sur le trottoir, ou dans un bistrot, sous prétexte qu'ils sont allés avec vous, ils s'en souviennent comme si c'était hier, au catéchisme, à la maternelle ou à la fac. On ne sait plus du tout qui ils sont, et on n'a aucune envie de le savoir. Et, quand on parvient à se les rappeler, c'est généralement pour retrouver les plus ringards du groupe. Le drame.

Avec Bernard c'était autre chose. Il se souvenait très bien de lui, de leur détresse commune. Ils avaient été amis. Il se tourna vers Viviane :

— Je t'ai souvent parlé de Bernard Descombes, le surveillant général de cet horrible collège de Roanne. Sans lui, je crois que je serais mort d'ennui et de malheur.

Puis, à Bernard :

— Viviane, ma femme.

Bernard présenta à son tour la blonde, manteau de vison sur les épaules, qui l'accompagnait.

— Éléonore, une amie. Vous êtes à Paris pour quelques jours ?

— Mais non, nous y vivons depuis maintenant trois ans. J'ai été nommé au lycée de l'avenue Trudaine. Viviane travaille aussi. Et nous avons deux enfants.

La lumière baissait déjà.

— Qu'est-ce que vous faites après la pièce ? Si nous allions manger quelque chose ensemble ?

Laurent accepta. Et les phrases de Genet reprirent, légères et violentes, d'un comique profond qui, parfois, semblait avoir échappé au metteur en scène et aux interprètes, jusqu'à ce que Saïd parvienne enfin au royaume des morts.

Sur la place de l'Odéon ne restaient que deux cars de police, les manifestants s'étaient lassés ; il semblait qu'ils aient fait partie de la distribution, que leurs cris de haine aient été nécessaires pour préparer les spectateurs à entendre le curieux chant d'amour de Genet, et qu'une fois la pièce terminée, ils soient rentrés dans leur loge, comme des acteurs qui vont se démaquiller.

Les deux couples trouvèrent une table à la Coupole, dont l'immense salle bourdonnait. Laurent aimait cet endroit, parce qu'on pouvait y être tout à fait seul et tranquille au milieu de la foule. Les vedettes y venaient volontiers ; elles savaient que, si chacun les reconnaissait, personne ne viendrait les importuner.

Ils étaient encore sous l'influence de ce qu'ils venaient de voir, et avaient aussi peu envie de parler des *Paravents* que de dire des banalités. Ils attendirent en silence qu'on leur apporte un whisky. Le choix des plats fit diversion. Bernard commença :

— Tu sais, je suis rudement content de te revoir. Mais je te propose tout de suite une chose : on ne parle plus du collège, c'était un temps sans intérêt. L'important, c'est que nous soyons arrivés tous les deux à le fuir. Raconte comment toi, un Lyonnais invétéré, tu es à Paris, aujourd'hui. Quand on sait ce qu'on pense de Paris à Lyon !

— C'est tout simple. J'ai passé l'agrég, comme tout le monde, et j'ai été envoyé dans une petite ville des environs de Lyon. Mortelle, mais assez près pour revenir tous les soirs. Je ne connais que le trajet du lycée à la gare. Et puis, agrégé, je n'avais pas trop d'heures de cours. L'année suivante, je me suis retrouvé dans un lycée technique, à Lyon.

— Décidément, le technique, c'est ta fatalité !

— Tu l'as dit. C'était un peu mieux que notre collège, mais à peine. J'ai compris que, pour se sentir moins mal, il faut devenir prof de fac. Alors j'ai commencé une thèse : l'idée de nature dans la seconde moitié du XVIIIᵉ siècle.

Laurent avait pris un ton pompeux pour dire le titre. Il éclata de rire.

— Ça fait chic, non ? Depuis cinq ans, je suis dessus. Et comme mon patron de thèse est évidemment en Sorbonne, il s'est débrouillé, au bout de deux ans, pour me faire nommer à Paris. C'est plus près de la Bibliothèque nationale. En attendant de me trouver un poste d'assistant. L'université est vraiment restée au temps des Romains. Chaque ponte a ses clients. Mais on n'a pas intérêt à se mettre mal avec le patron. Sinon on se retrouve vite fait rejeté dans les ténèbres extérieures.

Ils avaient attaqué le plateau d'huîtres. Laurent regardait Éléonore et Bernard, n'osant pas lui demander des nouvelles de sa femme. Bernard avait d'ailleurs prévenu : on ne parle pas de Roanne. Éléonore était assez spectaculaire, belle de cette beauté un peu fade qu'ont les mannequins des magazines dans les publicités pour produits de bébés. Elle détachait ses huîtres avec application, comme si elle avait peur d'oublier qu'il n'est pas convenable de mettre le petit doigt en l'air. Bernard se racontait :

— Moi, ça fait longtemps que j'ai plaqué les collègues, les profs, les potaches. Une question de vie ou de mort. Je me demande comment tu as le courage. L'idée d'être là, tous les matins, pour surveiller la rentrée, et le soir à

6 heures, pour surveiller la sortie, et la semaine et le dimanche à croiser les chers collègues, qui me méprisaient parce que j'étais le pion en chef, et parler à Monsieur l'Inspecteur des problèmes pédagogiques de ce pauvre monsieur Dupont, tout ça pour dire que ses élèves le chahutaient sauvagement parce qu'il était nul. Un an de plus là-dedans, j'étais cuit. J'ai tout laissé tomber brutalement. Le principal était baba. Mais qu'est-ce que vous allez faire ? Rien, n'importe quoi, mais plus ça. J'étais même prêt à aller en Yougoslavie pratiquer le serbo-croate. J'avais un peu d'argent devant moi, je suis venu à Paris, je me débrouille.

Puis il parla de la pièce, et de politique, en finissant de souper. Viviane, que ce dialogue d'anciens combattants ennuyait, s'était animée. Ils découvrirent qu'ils avaient les mêmes opinions sur l'indépendance de l'Algérie, Genet, Debré et Pompidou. Le temps passait agréablement. Bernard avait de l'abattage, le goût des mots, et des jeux de mots, c'était un charmant compagnon. Comme autrefois, mais frotté davantage à la société, connaissant toutes sortes de choses et de gens, il épatait un peu Viviane et Laurent, provinciaux de Paris.

En se séparant, ils échangèrent leurs numéros de téléphone. Bernard avait tenu à régler l'addition.

— Comme ça, la prochaine fois ce sera toi. Et nous nous reverrons bientôt.

Effectivement il lui téléphona la semaine suivante, et ils prirent date pour déjeuner tous les deux.

Bernard lui avait fixé rendez-vous dans le bar d'un hôtel où il n'était jamais allé, à Saint-Germain. Ils prirent place à une table basse où, après l'apéritif, on installa les couverts.

— Tu verras, comme cuisine ce n'est pas extraordinaire, mais c'est commode. Et puis on connaît tout le monde.

En effet, au fur et à mesure que l'endroit se remplissait, Bernard levait la main pour dire bonjour. Il présenta Laurent à trois journalistes dont le nom lui disait quelque chose.

— Tu vois, celui-là est au *Monde*, celui-là à *L'Observateur*. Et tu reconnais Jacques Legris, qui est avec Max-Pol.

Laurent l'admira d'appeler par son prénom Max-Pol Fouchet, dont il aimait beaucoup les émissions sur l'art et la littérature. Puis Bernard s'expliqua.

— Tu sais, ou plutôt tu ne sais pas, je suis sur un tas de coups. Mon job, c'est surtout de faire rencontrer des gens. Proposer des sujets d'articles à des magazines, mettre en contact quelqu'un qui veut publier un livre et celui qui saura l'écrire. Mon nom n'apparaît jamais, mais j'arrange des coups. Ce que d'autres font pour les affaires, je le fais pour les mots et les images. Quand je t'ai retrouvé, ça a été une illumination. Malgré les années, je ne crois pas que tu aies changé. Je ne te vois pas mourir dans la peau d'un prof à la retraite. Et puis c'est un marchepied.

Laurent ne comprenait pas.

— Qu'est-ce que tu me proposes ? D'écrire des livres ?

— Des livres, des papiers. Mais sans les signer, au début. Tu n'es quand même pas naïf à ce point. Une vedette de cinéma, un chanteur de charme ce n'est pas leur travail d'écrire. Ils ne savent pas le faire, et ils n'ont pas le temps. Pourtant à tout bout de champ des volumes paraissent, et qui marchent fort. Le problème, c'est de trouver d'abord qui va les écrire. Au début les journalistes en avaient fait une chasse gardée. Mais ils deviennent eux-mêmes trop connus, et trop gourmands. Et ils rajoutent dans le sensationnel. Parce que ce n'est pas un boulot si facile. Il faut de la confiance entre celui qui se raconte et celui qui l'enregistre. Le forcer à dire, sinon tout, du moins plus que ce qu'il a envie de dire, ou ce qu'il croit se rappeler. Etre un peu confesseur, un peu psychanalyste. S'il s'agit d'hommes politiques, il faut être honnête. Pas écrire le contraire de ce qu'ils pensent, mais parfois les contraindre à nuancer, à approfondir. Quand un politicien veut publier un livre, c'est qu'il en a besoin pour la prochaine campagne électorale, ou pour avoir l'air d'un spécialiste, et devenir ministre. Plus son livre est intelligent, plus il ratisse large. Alors il ne faut pas lui casser la baraque. Pour les articles de fond, c'est pareil. Chaque mot est pesé par leur brain-trust.

Laurent était interloqué :

— Je me vois mal écrire du roman populaire au poids.

— Tu n'as rien compris. Il ne s'agit pas de bâcler de la littérature merdique. Ça existe, mais ce n'est pas mon domaine. Moi je m'occupe de livres sérieux, et qui se vendent. Tu verras, ça peut être rentable. Mais c'est un gros travail, et pas un travail méprisable. Combien tu gagnes ?

— Prof de lycée, ça va chercher dans les six cent mille, au grand bout.

— Si tu marches, tu peux facilement doubler. Encore une fois, dis-toi bien que ce n'est pas facile. Et puis, promets-moi quelque chose : personne, à part toi et moi, et Viviane, ne doit le savoir. Il n'y aura que mon nom sur les contrats. Il faudra me faire confiance. Pour les livres que je peux te confier, ou les articles, même s'il s'en trouve pour se douter que ce n'est pas celui qui les a signés qui les a écrits, tu n'existes pas. Maintenant raconte-moi ta vie.

— Rien de bien palpitant. Celle d'un fonctionnaire moyen, « monté à Paris », selon l'expression. A Lyon, avec Viviane, nous avons eu deux enfants. Longtemps l'idée même d'avoir des enfants m'a fait horreur. Je crois que la vie n'est pas si enviable qu'on puisse avoir le sadisme de l'infliger à quelqu'un. Au début de notre liaison, elle s'était retrouvée enceinte. L'avortement n'a posé aucun problème, ni pour l'un ni pour l'autre. Enfin, aucun problème moral. Pour le fric, ça a été autre chose. Nous ne devions pas être les seuls. Tu connais le mot : on dit d'une fille qu'elle est « tombée » enceinte comme d'une femme qu'elle est « tombée » veuve. Il y aurait un bel article de sémantique à écrire là-dessus.

Bernard éclata de rire :

— Tu es vraiment prof !

— Depuis, avec les deux enfants, nous vivons assaillis par l'argent qui manque. Venir à Paris n'a rien arrangé. Il a fallu trouver un appartement, quelqu'un pour s'occuper des gosses, qui ont trois et deux ans. Le premier, nous l'avons eu parce que Viviane voulait, un peu pour savoir ce que c'était, il me semble. Le second, pour tenir compagnie au premier. Nous nous en sommes tenus là. Plus, ç'aurait été de la collectionnite. Mais je les adore. Quand j'ai été nommé là, avenue Trudaine, nous avons sauté de joie. Paris, nous y étions venus assez souvent, avec le programme des intellectuels touristes : musées, théâtres, balades et petits restaurants. Montmartre, pour nous, c'était le mythe. On s'attendait à croiser Céline, Bruant et Marcel Aymé, on a lu Dorgelès et Sabatier. A nous deux la culture, le texte du court métrage de Resnais nous poursuivait : cette ville où on a le plus pensé, écrit, peint au mètre carré. Nous nous sommes vus en touristes à demeure, sans comprendre que nous allions habiter Paris, et que c'est une autre paire de manches... Quand nous nous sommes rencontrés à la pièce de Genet, l'autre jour, ça faisait bien un an que nous n'étions pas allés au théâtre. J'ai compris un truc : les seuls Parisiens qui vont au théâtre régulièrement, ce sont ceux qui y travaillent pour que les provinciaux, les étrangers puissent en profiter : les acteurs, les critiques, les habilleuses. Les autres regardent les affiches en passant, point c'est tout.

On leur avait apporté des nourritures banales, trop fades.

— Tu as remarqué, dit Bernard, qu'on ne sale plus les plats, dans les restaurants. Quand j'ai demandé pourquoi, on m'a répondu que les clients étaient de plus en plus nombreux à être malades, à observer des régimes sans sel. C'est plus facile pour les autres d'en rajouter que pour eux d'en enlever. C'est sans doute vrai, mais ça n'a pas le même goût. Il n'y a même plus de salières sur les tables.

— La première chose, il a fallu trouver un appartement. J'ai demandé au lycée, ils n'avaient rien. Une vague combine avec le ministère, pour avoir un deux-pièces à Sarcelles au bout d'un an. Une secrétaire m'a dit : achetez *Le Figaro*. Je ne l'avais encore jamais fait. A Lyon, on lit *Le Progrès*, et les intellos *Le Monde*. J'ai vite compris. 7 heures du matin, *Le Figaro*, un café dans un bistrot et le téléphone. Si tu arrives le second c'est râpé pour le téléphone, le premier le squatte jusqu'à ce qu'il ait trouvé son affaire. C'est fou le nombre de gens qui achètent *Le Figaro* pour trouver un logement. Ils ne lisent pas un titre, cochent les annonces, et en avant au téléphone. En un an, j'aurais pu écrire un guide du nouveau Parisien, celui qui vient de débarquer. Remarque, on a eu du bol. Quinze jours après j'avais loué quelque chose en bas de Montmartre, un vieil appartement, grand, plein de couloirs, très province, qui n'avait pas été occupé pendant plus de dix ans. Le propriétaire avait fait repeindre, installer un évier et une baignoire. Au bout d'un mois nous avions quitté l'hôtel, rapatrié les enfants que mes parents gardaient en attendant, et déménagé le minimum de meubles. Le quartier était vraiment chouette. Très province lui aussi, avec des tas de petites boutiques, des blanchisseries, des fleuristes, des marchands de couleurs, et des camelots dans de minuscules échoppes en bois, qui vendaient les journaux. Plein de bistrots, certains ouverts toute la nuit, à cause des imprimeries de presse. Un marché du feu de Dieu, on trouvait ce qu'on voulait. En un an ça a été quasiment foutu. Des cars de touristes qui bloquent les trottoirs, des parcmètres et des aubergines pour te coller des contredanses, les blanchisseuses et les fleuristes remplacées par des couscous et des pizzerias, et le marché devenu merdique.

On a eu de la chance, l'an dernier un prof qui partait nous a laissé son appart, à Montparnasse.

Bernard semblait intrigué.

— Tu parles toujours argot, même avec tes élèves ?

— J'ai toujours parlé argot, parce que mon père parle comme ça, je ne sais pas pourquoi. Même ma fille de trois ans, avec lui, elle ne dit pas le boucher, mais le loucherbem. En cours je fais un peu plus attention. Pas trop, mes élèves adorent. Mais pourquoi donc ?

— Les gens que je te présenterai, ce n'est généralement par leur genre. Ils veulent plutôt du style chic. Surtout les vedettes, qui viennent souvent d'un milieu modeste. Pour elles, un livre ne doit pas parler comme les gens.

— Rassure-toi. Je fourrerai des tas d'imparfaits du subjonctif.

Bernard rit encore :

— Pas trop. Pense à la vraisemblance !

Les cafés arrivèrent, à peu près convenables.

— Un digestif pour ces messieurs ?

Bernard déclina, Laurent demanda une fine champagne.

— « Ce n'est pas parce qu'on est pauvre qu'il faut se priver de tout, quand même. » Je crois que c'est d'Alphonse Allais. Ce que tu me proposes, si ça marche, tombe à pic. Actuellement, je collectionne les papiers d'impôts, de toutes les couleurs. Les blancs, il y a belle lurette que je ne les ouvre plus. Les verts, je les contemple rêveusement, en sachant bien que je ne peux pas les payer. Quand ils sont roses, je commence à m'inquiéter. Et quand on en arrive au bleu, le commandement où on te menace de te saisir ton frigidaire et ta télévision, alors je me débrouille. Mais les avances sur salaire ne sont pas inépuisables, et les leçons particulières, particulièrement fastidieuses. D'autant que, quand on a payé le bleu, les impôts de l'année suivante sont déjà au vert, et le circuit recommence.

— Et Viviane ?

— Ce n'est pas de partager ses soucis qui les allège. Et puis c'est convenu entre nous que les impôts c'est moi. Alors c'est moi. Tu sais, elle a des principes.

— Elle ne travaille pas ?

— Heureusement si. Son truc, c'est la psychologie. Elle a trouvé une vacation au CNRS. Elle veut devenir psychanalyste, et elle suit une analyse qui lui coûte plus qu'elle ne gagne. Note bien, la psychanalyse c'est l'avenir. Moi je crois que pour soigner les gens, c'est à peu près comme de mettre Gabriello sur un trapèze volant. Il paraît que je suis sectaire et borné. En tout cas, quand ça marche, pour le médecin s'entend, c'est un bon job. Mais elle doit finir son analyse avant, je crois qu'elle en a encore pour un ou deux ans. Et comme elle passe son temps entre le

CNRS, les séances, les réunions, les séminaires — quel vocabulaire de curé ! —, on a dû
prendre une bonne. Même au noir, ce n'est pas
donné.

— Tu sais, chez toi le langage parlé ça dit
vraiment ce que ça veut dire !

— T'inquiète pas ; quand j'écris, je ne perds
pas une conjonction, j'ai aussi des négations
en stock.

Bernard, en partant, promit à Laurent de
l'appeler très vite. Il voyait déjà ce qu'il avait
à lui confier. Laurent rentra chez lui content,
et raconta son déjeuner à Viviane.

— Alors, si je comprends bien, tu vas devenir nègre ?

— Pourquoi pas. Dumas en avait bien, et
Labiche, et beaucoup d'autres aussi célèbres.
Mais on ne le savait pas. Pour Dumas, c'était
encore mieux. Un jour le nègre qui écrivait
son feuilleton pour un quotidien mourut ino-
pinément, le bougre. Dumas, incapable de
fournir la suite, s'enfuit à la campagne. Un
jour, puis deux, puis trois : le feuilleton continuait imperturbablement. Dumas finit par
comprendre : le nègre avait un nègre !

— Toi aussi, tu seras le nègre du nègre. Tu
vas travailler pour Descombes qui travaille
pour les autres. C'est exactement ça. Il n'y a
pas de quoi se vanter. Et ta thèse, avec tout ça ?

Laurent eut envie de parler des impôts, et
de se mettre en colère. Mais c'était trop fati-
gant.

— Je me débrouillerai bien pour faire les deux. Et puis l'avantage d'être nègre, tu travailles au noir. Et on va pouvoir acheter une voiture convenable.

— C'est tout toi. Tu dépenses toujours l'argent que tu vas gagner avant de l'avoir touché. Je me demande comment tu fais !

La discussion s'engageait sur un terrain miné. Pour l'arrêter, Laurent ouvrit le réfrigérateur, déboucha une bouteille de champagne qui s'y trouvait toujours, au cas où, et porta un toast :

— A la vraie négritude en littérature, la mienne.

Viviane pouffa. Ils burent la bouteille à eux deux, se couchèrent sans dîner, et firent l'amour avec une grande satisfaction.

Laurent avait conquis le statut enviable, quoique clandestin, des professions libérales.

6

Huit jours après, Laurent trouvait un pli dans sa boîte. Une dizaine de feuillets dactylographiés, raturés un peu dans tous les sens d'une écriture illisible. Y était joint un mot : « Voici un papier à refaire. Inutile de te dire de qui il s'agit, tu le verras bien quand il paraîtra ; je te laisse la surprise. Je présume que tu ne connais rien à la politique monétaire européenne, moi non plus et ça n'a aucune importance. Ce qui compte c'est d'ordonner ça comme une dissertation en trois points, dans un style classique, plutôt chiant, sans changer les chiffres — ils sont justes — ni les thèses, l'auteur y tient. Arrange-toi pour tourner dans le dernier paragraphe deux ou trois phrases qui aient l'air un peu perfides pour le gouvernement. Il me faut ça demain soir, entre dix et douze pages de quinze cents signes-machine. Appelle-moi dès que tu auras fini. Ça urge. Le prix : mille francs (nouveaux) en liquide, que le coursier qui viendra chercher l'article te remettra sous enveloppe. N'ouvre pas l'enveloppe devant lui. Merci. Bernard. »

Il lut. C'était un pathos informe, avec quelques développements brillants, dont l'unique intérêt, pour l'auteur, était de faire comprendre que lui seul avait la compétence, l'expérience et la largeur de vues nécessaires pour être illico nommé responsable français des problèmes financiers européens. Seule chose claire, empaquetée dans une nébuleuse de statistiques, de citations d'économistes étrangers ou morts, et de banalités sur le nationalisme, l'impérialisme du dollar et les dangers du communisme à nos portes. Après tout, pas plus difficile à remettre sur pied, et en bon français, qu'une disserte de seconde, en effet.

Laurent se mit au travail tout de suite ; une demi-heure après, il avait construit un plan, et distribué tous les éléments selon les trois parties. Il eut une crainte : s'il supprimait les banalités et les redondances, il allait lui rester trois feuillets. Or il en fallait au minimum dix. Il décida de conserver courageusement les premières, et de masquer les secondes en variant le vocabulaire. Il s'arma d'un dictionnaire courant ; dans la soirée il avait fini. A Viviane qui lui demandait ce qu'il faisait, il répondit qu'il rédigeait une motion nègre-blanc. Comme elle ne savait pas ce que c'était, elle ne l'interrogea pas plus avant. Mais il avait dit la vérité, il y avait une nette tonalité radicale-socialiste dans le texte qu'il ravaudait.

Restait la question des phrases « qui aient l'air perfides ». Il opta pour le style Troisième République. L'article concluait ainsi : « Le personnel choisi par l'actuel gouvernement, et le gouvernement précédent, pour préparer ses travaux sur ces graves problèmes, personnel dont nous ne mettons bien évidemment pas en cause la probité et le dévouement, avérés en maintes circonstances, ce personnel, cependant, ne manque-t-il pas à certains égards d'expérience et d'imagination, deux qualités complémentaires, mais essentielles pour maîtriser ces vastes questions, et sauvegarder l'intérêt national tout en faisant progresser l'Europe ? » Puis, trouvant que la phrase avait un tour trop direct, il la nuança en : « Ne peut-on pas se demander si le personnel... ne manque pas... », et remplaça « vastes » par « difficiles ». Il sourit en songeant que Bernard serait sensible à cette double négation.

Laurent décida d'attendre sagement le lendemain matin pour prévenir Bernard. Téléphoner trop tôt, c'était faire craindre que son travail ne fût bâclé, ou trop facile, donc trop payé. Dès le soir, il avertit Viviane que, le lendemain, il l'emmenait au restaurant. Un restaurant russe, avec un peu de caviar, lui semblait tout indiqué pour dépenser une partie de l'argent européen.

A l'heure dite un coursier arrivait, qui

emporta le pli et remit l'enveloppe. Bernard écrivit à Laurent que l'article allait à merveille, et il eut la surprise de le voir publié le surlendemain, en première page d'un quotidien réputé sérieux et bien-pensant, signé d'un nom très connu, et très ancien, de la politique.

Pendant cinq ou six ans Laurent assuma son double travail. Le français, le latin et le grec aux heures ouvrables, l'écriture le soir. S'il avait toujours autant de problèmes d'argent, c'était au niveau supérieur. Viviane était devenue officiellement psychanalyste, avait dû trouver un cabinet, mais les patients, de plus en plus nombreux, ne l'étaient pas encore assez. Les enfants grandissaient, coûtaient de plus en plus cher. L'appartement de Montparnasse, trop petit, avait été remplacé par un autre, dans une rue charmante du même quartier ; on avait dû faire de nombreuses réparations. Et l'endroit était si agréable qu'on ne pouvait pas mégoter. Laurent et sa femme avaient rencontré, chacun de son côté, des amis qu'ils recevaient souvent. L'été ils partaient à la mer, l'hiver au ski et les week-ends à la campagne. C'est là que Laurent, initié par une relation d'auberge trois étoiles, avait pris goût à la chasse.

Laurent menait une vie de cadre aisé, dont ses collègues étaient un peu envieux. Il fallait négrifier à tour de plume. Heureusement Bernard n'était jamais à court de travail. Une fois il lui avait même demandé ce qu'il préférait :

continuer à être payé de la main à la main, en argent liquide et au forfait, ou figurer sur le contrat du livre, et percevoir un pourcentage. Mais il ne pourrait pas éviter de déclarer les gains, et de payer des impôts. Laurent avait préféré en rester à la première manière. Lorsqu'il lut qu'un de « ses » livres avait dépassé cent mille exemplaires, il se dit qu'il avait sans doute eu tort. Puis n'y pensa plus.

Il était le nègre le plus secret de Paris, puisqu'il ne fréquentait pas les mêmes milieux que ceux dont il écrivait, ou ajustait livres et articles. Le plus éclectique aussi. Études de fond, mémoires de chanteurs ou récits d'aventures en Amazonie, polars et livres politiques, il avait appris à tout faire, vite et bien. Viviane lui demanda un jour :

— Pourquoi n'écris-tu donc pas toi-même, au lieu de voir tes phrases signées par d'autres ?

— D'abord parce qu'on m'apporte la matière ; je n'ai aucune imagination. Ensuite parce que écrire sous son nom, j'ai la faiblesse de croire que c'est une grande responsabilité. Je ne suis pas prof pour rien. Et je sais que je ne suis ni Diderot ni Blanchot. Et puis la supercherie m'amuse. Enfin un peu de vanité. Penser qu'un livre n'aurait eu aucun succès si je n'avais pas été là pour le raccommoder. Si j'écrivais un livre que je signe moi-même et qui se vende moins bien que ceux-là, je serais mort de honte.

— C'est quand même tromper le lecteur !

— Pas du tout. Dans ce genre de littérature, le lecteur se fiche bien du nom de l'auteur. Ce qu'il veut c'est qu'on lui raconte une bonne histoire. Peu importe qui l'a écrite. Pour lui, il vaut bien mieux un bon livre que celui qui le signe n'a pas écrit, ou pas écrit tout seul, que le contraire. Et ça n'est pas vrai que pour les best-sellers, ou les souvenirs d'une actrice, les tisanes ou les recettes de cuisine d'un champion cycliste. Regarde l'*Encyclopédie* de Diderot. Les plus grands esprits du temps, et pas mal de tâcherons comme moi. Certains articles, on ne sait toujours pas, aujourd'hui, avec l'analyse textuelle et tout le bazar, s'ils ont été rédigés par les premiers, les seconds, et qui, dans chaque catégorie. Le nègre doit rester anonyme. Être nègre et s'en vanter, c'est contradictoire dans les termes. Laisser sa trace, c'est autre chose. Celui qui a écrit *Fils du peuple*, les mémoires de Thorez, a laissé sa signature. Il y a quelque part une phrase incompréhensible, et, quand on aligne les initiales de chaque mot de la phrase, les lettres forment le nom du nègre. On peut s'amuser à ça. Moi, dans tous les livres que je fabrique, je cache une citation d'Aragon, de Malraux ou de François Coppée. Sans guillemets. Personne ne s'en est jamais rendu compte.

Laurent n'avait presque jamais de contact personnel avec ceux qu'il « rédigeait ». Pour les articles, il recevait des brouillons raturés, des bouts de notes, une liasse de paperolles qu'il déchiffrait et mettait en ordre. Pour les livres, le plus souvent des entretiens enregistrés au magnétophone, plus ou moins bien décryptés, avec, souvent, des orthographes ou des néologismes barbares. Ou des synopsis peu détaillés, parfois deux ou trois feuillets. Il inventait alors actions et personnages. Bernard lui avait expliqué qu'il valait mieux pour tous qu'il ne rencontre pas ses clients.

— Ils sont à la fois contents et honteux d'avoir recours à nos services. Quand tu as fini, je leur montre le texte, ils déplacent une virgule, changent un mot, et sont sûrs, dès ce moment, qu'ils sont l'auteur de leur livre. S'ils te voient, c'est fichu. J'en ai connu plusieurs qui m'ont dit que le « rédacteur » — on ne dit pas le nègre — avait abîmé leur style. Alors qu'au départ ils avaient fourni une seule page tapée à la machine, avec deux fautes de français à la ligne. Pour eux je suis un patron d'agence, c'est différent. Mais qu'ils rencontrent le véritable auteur, et nous les perdons. Il y en a qui changent de nègre à chaque livre, comme ces malades qui changent sans cesse de médecin, parce que celui qu'ils étaient allés voir les avait trouvés trop, ou pas assez atteints. Si tu as besoin de renseignements complémentaires, tu me fais une liste, et je t'envoie leurs réponses.

Une seule fois le client demanda à rencontrer

Laurent avant de travailler avec lui. Bernard était étonné. Dans ses petits souliers pour en parler à Laurent.

— Je sais que tu fais aussi bien dans la droite que dans la gauche, mais celui-là, c'est spécial. Pas vraiment dans nos idées. Encore que... Si tu ne veux pas, n'hésite pas à refuser. Je le donnerai à quelqu'un d'autre. Mais donne-moi vite ta réponse.

Puis il dit de qui il s'agissait.

Laurent sursauta. Celui-là, non! Un homme à mi-chemin entre la truanderie et la politique. Un mélange de baroud et de basse police ; on prétendait qu'il ne fallait jamais lui tourner le dos, si l'on voulait rester vivant. Il avait été de tous les coups les plus pourris, les avait réussis ou étranglés sans scrupules. Pas le style bandit au grand cœur. Enfin, c'était sa réputation.

Bernard insista.

— Tu devrais le voir, ne serait-ce qu'une fois. Il vaut le détour. Après, tu feras comme tu voudras.

Rendez-vous pris, Laurent se retrouva dans un petit appartement d'une maison moderne, bourré d'objets historiques. Rien d'une forteresse. Une bonne était venue ouvrir la porte, sans avoir besoin de libérer de leur gâche une armada de verrous. Pas de costaud au pied de l'escalier, pas de garde du corps dans l'entrée, et ce n'était pas la soubrette qui pouvait dissimuler un colt magnum sous sa robe. Elle introduisit Laurent dans un salon en velours frappé bordeaux. L'illustre entra, simple et cordial. Il expliqua ce qu'il voulait faire et dire — hélas pas ses Mémoires; Laurent l'avait un peu espéré, mais c'était sûrement de la dynamite et, à supposer qu'ils aient été écrits ou enregistrés, ils devaient dormir dans un coffre à toute épreuve contre les explosifs ou les cambrioleurs. Non, c'était un autre livre, entre la politique, l'histoire et la futurologie. Au fur et à mesure qu'il développait ses idées, le client devenait à Laurent plus sympathique. Intelligent et cultivé, d'une courtoisie presque grand siècle sans rien d'affecté. Au bout d'une demi-heure, il fit apporter à boire, servit deux whiskies gigantesques, regarda avec étonnement Laurent y ajouter plusieurs cubes de glace et de l'eau. Pour un peu il lui aurait demandé s'il était malade. Lui but son verre en deux gorgées.

Puis ils bavardèrent, le politicien s'enquérant de Laurent avec beaucoup de discrétion, surtout pour savoir si cela lui plaisait de rédiger le livre d'un autre.

— Si je peux me permettre, pourquoi avez-vous souhaité me rencontrer ?

— Je ne sais pas écrire, j'ai assez lu pour en être sûr. Et ce livre, j'y tiens. C'est plus compliqué que d'écrire un roman historique. J'ai voulu vous voir d'abord pour savoir si votre tête me revenait. Je ne peux pas travailler avec quelqu'un que je ne connais pas, et que je ne pourrais pas supporter. Et puis je compte sur vous pour m'aider à préciser ce que je pense, pour me faire trouver des idées, parfois. Il ne faudra pas hésiter à me poser des questions incisives, à me pousser dans mes retranchements, à me contrer même. D'autant que, je crois, politiquement nous ne sommes pas tout à fait sur la même longueur d'onde ?

Il avait un œil malin en disant cela. Laurent se demanda s'il n'avait pas réclamé une enquête sur lui aux Renseignements Généraux. L'auteur dut s'en douter, sourit.

— Rassurez-vous, c'est Bernard Descombes qui me l'a dit. C'est parfaitement votre droit, d'ailleurs. Pour moi c'est préférable. Il est mieux de répondre aux objections quand on compose le livre qu'une fois qu'on l'a publié. Et dans les débats, parce que ce bouquin en suscitera, croyez-moi, je serai mieux armé.

Nous aurons besoin au moins d'une quinzaine d'après-midi. Si vous êtes d'accord, de mon côté c'est parfait. Deux détails. Je ne sais pas quels sont vos arrangements avec Descombes, mais je lui laisse 50 % des droits. Pour le magnétophone, il y en a un ici. Ma secrétaire tapera les bandes le lendemain des enregistrements, vous aurez la dactylographie dans les deux jours.

Laurent le regarda avec admiration. Il était méfiant, le bonhomme, ne laissait rien au hasard. Il garderait les bandes, et pourrait couper ce qu'il voulait, si par hasard il s'était laissé aller. Laurent commençait à comprendre pourquoi il avait cette réputation, et pourquoi il avait survécu.

Pendant une vingtaine d'après-midi, Laurent eut le plaisir de converser, et parfois de controverser, avec un esprit délié, imbattable sur les références historiques, et de voir naître, parce que la pensée n'existe qu'une fois qu'elle est dite, une véritable pensée politique, réaliste et prospective. Un vrai miracle, quand on sait qu'en France les idées politiques sont rarissimes, et mal vues. Ici rien de commun avec les articles bateau qu'il continuait à retaper pour quelques vieux crabes. Une vision claire, peu démocrate peut-être, enfin pas fanatique de la victoire des cinquante et un sur les quarante-neuf, mais qui tenait compte des gens, et un nationalisme dont Laurent était sûr qu'il ne résisterait pas à l'épreuve des faits, ni à la médiocrité du personnel politique — cela, l'autre était bien placé pour le savoir, ce livre était son chant du cygne —, mais véritablement grand, émouvant.

Comme on pouvait s'y attendre, le livre n'eut aucun succès, et Laurent en fut chagriné pour celui qui était devenu son ami, et qu'il respectait. Il refusa ensuite plusieurs essais, plus politiciens que politiques, n'ayant pas le courage, dans ce domaine, de retomber dans le marais.

Apparemment Bernard avait monté un véritable hôpital pour textes en perdition. Laurent eut entre les mains des romans en panne, à élaguer, à nourrir, des livres de vulgarisation médicale, horticole, diététique, des traductions si bâclées qu'il devait entièrement les réécrire. C'était la prospérité, on publiait n'importe quel livre sur n'importe quel sujet. Les tennismen et les rockers, les starlettes et les joueurs d'accordéon voulaient tous un livre : leur impresario leur avait expliqué que c'était un passage obligé du plan de carrière. Alors les magnétophones tournaient, les nègres négrifiaient. Laurent, qui gagnait maintenant bien davantage avec sa prose anonyme qu'avec son agrégation, avait engagé une secrétaire, que Bernard payait pour moitié. Il se servait de plus en plus du magnétophone, pour les choses courtes et les traductions à refaire et elle transcrivait les bandes. C'est Bernard qui l'avait trouvée, une jeune femme d'une trentaine d'années, l'air sérieux, avenante, qui vivait seule.

Bernard alla quelquefois travailler avec elle, le soir, et, inévitablement, ils devinrent amants. Plus par gentillesse que par passion. Au début elle dut penser qu'elle ne pouvait pas refuser. Bernard aurait trouvé discourtois de ne pas le lui proposer. Ils étaient tous les deux satisfaits de cette amourette popote, mais commode, et fort agréable parce qu'ils s'entendaient bien au lit. Quand il allait chez elle, en fin d'après-midi, ils mélangeaient un peu au hasard le travail et l'amour. Ils allaient dîner quelque part, vers la place d'Italie où elle habitait, puis il la raccompagnait. A une heure du matin il était de retour chez lui.

Viviane s'en doutait certainement, mais elle affectait de ne rien savoir, de ne rien vouloir connaître de ce travail qu'elle méprisait même s'il la faisait vivre en bonne partie. Laurent et elle ne couchaient plus que rarement ensemble, elle se satisfaisait davantage des récits des malheurs de ses patients. Peut-être avait-elle laissé aller trop loin le transfert avec l'un ou l'autre, et était-elle devenue sa maîtresse ? Laurent avait entendu dire que cela se passait quelquefois, mais c'était le sujet tabou de la psychanalyse, depuis une sombre histoire entre Freud, Jung et une jeune fille.

De toutes les manières il n'aurait jamais posé ce genre de question. Et Viviane, qu'une liaison publique eût sans doute agacée, devait trouver parfaite — l'un de ses mots favoris — la discrétion de celle-ci. Au demeurant, peut-être s'en fichait-elle royalement.

Chaque fois que Laurent recevait une enveloppe de Bernard, parfois très épaisse, il pensait à sa vie à Lyon, à son arrivée à Paris. Tout cet argent étalé sur le bureau était inimaginable. Pourtant il n'en tirait pas grande satisfaction. Bien sûr il roulait en DS et plus en quatre chevaux, il s'habillait mieux, il connaissait plus de gens différents. La seule chose qui avait vraiment changé, c'était la qualité des restaurants et le contenu du réfrigérateur. Boire du champagne n'était plus une fête, mais il était meilleur que le rosé de Provence d'autrefois. Pouvoir manger du caviar sans compter les grains, et sans penser aux pommes de terre et aux conserves de la fin du mois a ses avantages. Cela permet, par exemple, de pouvoir à nouveau aimer sincèrement les pommes de terre et les sardines à l'huile.

Les dettes rattrapaient toujours l'argent gagné. Pour justifier un train de vie nettement supérieur à celui que permet un traitement de professeur, Laurent devait, sur ses déclarations d'impôts, majorer nettement ce que gagnait Viviane, et la note tombait dur. Il parvenait à s'arrêter à la lettre verte de rappel, à condition d'accepter un nouveau livre, et de demander une grosse avance. Les factures, il les mettait dans une grande boîte, à l'envers, et les payait au fur et à mesure de ses rentrées. Parfois il en oubliait, mais elles ne se laissaient pas faire. Et il jouait à nouveau les équilibristes. Et comme il pouvait difficilement avouer à son banquier qu'il travaillait au noir, que c'était lui, par exemple, qui avait écrit le livre si remarqué de son P-DG, on le rappelait sans cesse à l'ordre.

Tout cela n'était pas bien grave, mais énervant, et à la longue épuisant. En parler à Viviane n'aurait servi à rien, elle lui aurait proposé de se restreindre, mot dont il avait horreur. A Bernard : il lui aurait prêté de l'argent et doublé le volume de ses travaux. Alors il faisait avec, sans pouvoir admettre qu'en travaillant autant il ait en plus à se préoccuper de l'argent. Il n'entretenait pas de danseuse, ne se ruinait pas en cocaïne. Une seule chose qui l'amusait vraiment : ce rôle de Père Joseph des lettres qu'il jouait en fabriquant des livres qui n'étaient pas tous médiocres, loin de là. Un rôle que personne ne connaîtrait jamais, surtout pas les historiens de la littérature.

Les cours qu'il lui fallait donner, plus de dix heures par semaine, l'assommaient. C'était cocasse de corriger des versions latines entre deux aventures d'un chanteur de charme. Quant à l'idée de nature, elle avait pour de bon regagné la seconde moitié du XVIIIe siècle, d'où elle n'aurait jamais dû s'échapper.

7

Les oursins et le sancerre l'avaient rendu euphorique. Il trouva la porte entrouverte. Cela arrivait assez souvent, le pène de la serrure était dur, grippé, et personne, lui le premier, ne se souciait d'y mettre une goutte d'huile. Après tout ils avaient déjà été cambriolés trois fois, porte fermée. Si un quatrième intrus profitait de la porte ouverte, cela épargnerait au moins les frais de serrurier. La première fois l'assurance avait remboursé à peine la moitié des bijoux de Viviane, que le voleur avait emportés. Laurent lui en avait offert d'autres, partis par le même chemin ; il avait été indemnisé du dixième de leur prix. Dorénavant, Viviane portait sur elle ses bagues et ses colliers, et lorsque le troisième cambrioleur — ou peut-être trois fois le même, il paraît que c'est une sorte d'abonnement — s'était rabattu sur deux appareils de photo, Laurent n'avait même pas fait de déclaration au commissariat. Après la première effraction, la porte d'entrée avait été blindée et surblindée : l'assurance l'avait exigé. Penser que cette forteresse restait vulnérable faute d'un peu d'huile était assez cocasse.

Laurent avait pour sa fille une sorte d'amour-admiration mêlé de peur. Elle était presque trop belle et surtout fonctionnait, comme son frère, selon des mécanismes qui lui échappaient. A les voir et les entendre, seule comptait la futilité, ou ce qu'il croyait de la futilité. Tel air de rock, tel chanteur, qu'ils ne se donnaient pourtant pas la peine d'aller écouter au concert. La radio, les émissions télé, surtout les cassettes que chacun reproduisait sur un magnétophone pratique, mais d'une qualité technique douteuse, voilà de quoi les contenter. Alors que Laurent se souvenait d'interminables controverses sur les mérites comparés de tel ou tel enregistrement, quand il avait leur âge. Il est vrai que les tourne-disques de son époque, dont le fameux Teppaz n'était pas le pire — et on pouvait le trimbaler de surprise-partie en surboum — n'avaient rien à voir avec la haute-fidélité.

A propos de hi-fi, c'était reparti, comme presque tous les jours depuis trois mois. Charlotte devait avoir vu chez une copine un modèle encore plus récent, elle avait circonvenu Adrien, et chaque fois que Laurent poussait la porte, il avait droit à la même antienne.

— Elle est débile, papa, ta boîte à musique. On n'ose plus faire venir des amis, on a honte pour toi. On n'ose même plus leur emprunter des disques et des bandes, elle les bousille.

Cette fameuse chaîne, Laurent l'avait achetée il y avait cinq ans. Le vendeur la lui avait conseillée comme l'objet parfait, à la pointe de la technique, un must du design : la nouvelle merveille du monde. Sur le moment les enfants avaient été ravis, et ils la faisaient admirer à leurs amis. Mais une merveille en démode une autre, et la sienne était désormais ringarde.

De toute manière, vu l'état désespéré de ses finances, il était hors de question de la remplacer. Ce n'était pas la seule raison. Laurent haïssait ce monde où un clou chasse toujours l'autre, où l'on jette par flemme de réparer, sous prétexte que ça fait marcher le commerce... Le commerce n'avait qu'à se débrouiller pour vendre des objets solides, ou les remettre en état sans que ce soit déshonorant. Aussi cette insistance à envoyer à la casse un appareil qui, pour n'être pas du dernier cri, fonctionnait encore bien, le mettait hors de lui. On lui disait qu'il était conservateur. Viviane intervint :

— Et la voiture, quand est-ce que le garage va te la rendre ? Ma Ford est pratiquement en rade, il faut que je la fasse réviser entièrement ; la BM est depuis trois mois chez ton type. Si les deux sont au garage en même temps, on va être bien ! D'autant que Charlotte doit partir dans deux jours en week-end avec des amis, et la Ford est trop petite. Et puis moi j'en ai besoin pour un congrès à Cabourg.

Laurent faillit éclater de rire, leur raconter que « son type » n'était pas près de rendre la BMW, qu'il y avait plus d'une brique de réparations dessus, et qu'il lui en devait déjà deux, qu'il ne savait comment lui payer. A force de repousser des factures, il était cerné comme un grand cerf sur ses fins par les chiens, il ne pouvait plus bouger pied ni poing sans se cogner à un mur.

Le garagiste à qui il devait de l'argent, il avait sans doute été naïf de lui confier la voiture une fois encore. Mais un autre, qu'il ne connaîtrait pas, ne lui aurait pas davantage fait crédit. Avec celui-là, on pouvait peut-être tenter le coup. Manque de chance, ça n'avait pas marché. Au téléphone, il avait été clair :

— Il y a pour plus de neuf mille francs de travail, cette fois. Je ne peux pas commencer tant que vous ne m'avez pas réglé les autres factures. Celle de la batterie et du régulateur a plus d'un an. Dès que j'ai votre chèque, on y va. Comprenez-moi, je ne peux pas faire autrement. Tous les mois j'ai mes salaires à payer, et les ouvriers n'attendent pas.

Laurent n'avait pas osé lui répondre :

— Alors, je viens rechercher la voiture.

Le garagiste ne la lui aurait sans doute pas rendue, et comme il n'avait plus le pouvoir de lui confier l'entretien des voitures de la boîte, il n'avait aucun moyen de pression. Quant à en louer une, sans carte de crédit ni carnet de chèques, autant rêver. Laurent tenta de s'en sortir comme il put.

— Je l'ai appelé tout à l'heure, il est débordé, et il y a plus de choses à faire qu'il ne pensait.

Viviane conclut sèchement :

— Si je comprends bien, on va être dans la choucroute, ce week-end. Je me vois mal aller à Cabourg en train, et je vais prêter à Charlotte une voiture à l'agonie. Ton mécano te mène en bateau. Une fois de plus, tu te fais avoir. Enfin, c'est ton problème.

Laurent eut envie de partir en claquant la porte, sur un : Allez tous vous faire foutre ! bien senti. Mais c'est Viviane et les enfants qui avaient raison. Puisqu'il avait choisi de ne rien leur dire, qu'il se débrouille tout seul.

En même temps, s'ils avaient raison, c'était par inadvertance, sans y penser. Quand on a vingt ans dans les années quatre-vingts, la commodité des choses va de soi. Ils avaient été élevés dans un appartement à une, puis deux salles de bains, avec une, puis deux voitures. Aucune raison sérieuse ne justifie qu'une voiture soit en panne, qu'une baignoire fuie, et surtout continue à fuir. Il y a des plombiers et des garagistes pour ça. La technique a cessé d'être un mystère, elle doit suivre. C'est bien sûr une question d'argent, mais pourquoi les problèmes d'argent des parents concerneraient-ils les enfants ? Il ne se rencontre plus que dans les romans populaires d'il y a cent ans, le banquier qui, après avoir perdu tout ce qui lui restait à la roulette de Monaco, écrivait depuis sa chambre de l'Hôtel de Paris à sa femme et sa fille ignorantes de la catastrophe, que l'une devrait faire des ménages pour ne pas mourir de faim et que l'autre, engagée par faveur dans l'ancienne banque de son père, resterait à jamais célibataire ; avant que, sans régler sa note, il aille se jeter du haut du Rocher dans une mer houleuse qui ne rendrait jamais son cadavre (à moins qu'il n'ait fui avec une gourgandine tenter à nouveau le sort à Montevideo).

Comme pour en rajouter, Charlotte enchaîna sur les vacances.

— Qu'est-ce que vous faites, cet été ?

Voilà plusieurs années que chacun, dans la famille, prenait ses vacances séparément, sauf à se retrouver l'un avec l'autre, un peu au hasard, une semaine ensemble. Laurent avait eu de la peine à convaincre Viviane qu'à vivre ensemble toute l'année, le mot même de vacances signifiait une parenthèse dans cette cohabitation, après laquelle on était encore plus heureux de se retrouver. La première année elle était partie une semaine avec des amis puis une avec son fils et une avec Charlotte, et avait passé la dernière seule à Paris, sous prétexte que Paris en août est incomparable. L'année suivante, elle s'était mieux organisée. Dès lors, l'habitude était prise. Les enfants, depuis qu'ils avaient quatorze ans, partaient avec des camarades. Même plus jeunes, ils préféraient les colonies de vacances au mois de mer ou de montagne familial. Laurent n'aimait guère le mot vacances, encore moins la chose. Il rayonnait autour de Paris, selon les occasions et les rencontres, trois jours à Deauville, un week-end à Djerba, et de longues balades dans la ville déserte, et il trouvait avec un flair remarquable de petits restaurants où manger seul, royalement, en lisant les journaux.

— Parce que moi, poursuivit Charlotte, avec des copains on a trouvé un programme super. Un mois en Asie du Sud-Est, la vie est pour rien, il n'y a que le billet d'avion. Quinze mille francs, et on peut s'arrêter quand on veut, et le temps qu'on veut, sur le parcours. Si c'est bien on reste plus longtemps, si c'est moche on va plus loin. C'est raisonnable, non, comme prix ? Le seul truc, c'est qu'il faut retenir, et donner le chèque après-demain au plus tard.

Viviane appuyait :

— Pour un voyage comme ça, c'est donné. Surtout si on leur assure que la vie là-bas est si bon marché. Elle pourra voir trois ou quatre pays en un mois. Si nous avions pu connaître la même chose à leur âge !

Laurent, qui détestait les voyages, et spécialement les pays chauds, eut une objection :

— Et si, dans votre groupe, il y a des drogués ? On ne plaisante pas avec ce genre de trafic, là-bas. Je ne voudrais pas te voir condamnée à mort parce qu'un de tes copains avait dix grammes de hasch, qui lui auront été vendus par un flic.

— Tu es toujours le même. L'an dernier il ne fallait pas aller en Turquie, à cause des accidents de voiture, ni dans le désert à cause du Polisario. On peut aussi bien se faire écrabouiller sur les Champs-Elysées !

Laurent était fait comme un rat. Quinze mille francs pour le billet d'avion, au moins dix mille de plus pour la vie qui ne coûtait rien, même *Salammbô* ne pourrait pas les payer. Et c'est tout ce qu'il avait trouvé pour essayer de passer l'été. Il gagna vingt-quatre heures.

— A priori, si tu y tiens tant, c'est d'accord. On en reparle définitivement demain.

La bonne apportait le dîner. Comme Viviane assumait les frais de nourriture, il y avait toujours ce qu'il fallait. Plus ou moins coûteux selon les semaines, mais toujours bon. Une raison de plus pour Laurent de garder ses soucis pour lui. Il se força à manger. Adrien se tortillait sur sa chaise. Laurent, que le manège agaçait, parla le premier.

— Qu'est-ce que tu as, avec cet air entre deux airs ?

— Rien. Ou plutôt, si. Voilà...

— Quoi, voilà ? Tu as encore fait une connerie ?

— Non, il faut que je t'explique. Et puis de

toute façon, tu ne comprendras pas. Tu vas encore dire que c'est de ma faute.

— Accouche, à la fin !

— Ben, je suis viré de la boîte.

— Encore ! La troisième fois en un an. Et ton bachot dans le lac, en plus.

— C'est le prof de français, il ne peut pas me piffer, c'est lui qui m'a fait plonger.

— Plonger pourquoi ?

— J'ai pompé au contrôle. Et il m'a vu.

— Et tu voudrais que je dise que c'est de sa faute, si tu pompes, pas la tienne.

— Tu sais, il y en a qu'il voit, et il dit rien. Mais c'est ses chouchous.

— Et pourquoi pas toi, pourquoi tu n'es pas son chouchou ?

— C'est toi qui me l'as dit, l'an dernier, que t'avais pas voulu de son bouquin pour ton club.

Sale môme. Il s'arrangeait encore pour lui faire porter le chapeau. Mais là, c'était trop.

— Tu te rends compte de ce que tu dis ? Tu pompes parce que tu ne sais rien, tu es tellement con que tu te fais prendre, et il faut que ça soit de ma faute parce que ce bonhomme a écrit un roman minable dont je n'aurais pas vendu dix exemplaires. Tu ne trouves pas que tu jettes le bouchon un peu loin ?

— Je te jure que c'est pour ça.

— Comment il le savait, je ne lui ai rien dit ?

— Ça c'est moi ; un jour qu'il me cassait les pieds, je lui ai balancé dans la figure, devant toute la classe. Alors tu penses, depuis !

C'était le pompon.

— Et ils te virent avant le bac ?

— Demain matin.

C'en était vraiment trop. Laurent posa sa serviette sur la table, se leva, et descendit boire un verre au bistrot d'en bas. Il fallait qu'il sorte, ou qu'il explose. On le connaissait, on lui apporta tout de suite son whisky, de la glace et de l'eau.

Au fur et à mesure qu'il se calmait, il se disait que tout cela était sans doute, comme le prétendait Adrien, de sa faute. Son peu de goût pour la discussion, sa pruderie devant la vie personnelle de chacun — il détestait autant que les autres lui en parlent qu'il détestait leur parler de la sienne — cantonnaient même ses intimes hors de ses frontières. Que savait-il finalement de ce que souhaitait Adrien, de ses goûts, de ses drames ? Avait-il des problèmes de cœur : on ne voyait plus guère sa petite amie ? Avait-il changé pour un petit ami ? Cela se voit. Et Charlotte, qui fréquentait-elle, en dehors de son « fiancé » régulier ? Parfois, en rentrant, il la trouvait avec quelques garçons, plus rarement des filles, en train de boire un verre et d'écouter des cassettes. Elle prononçait quelques prénoms, qu'il avait oubliés avant de pousser la porte de son bureau. Et il n'avait aucune mémoire des visages. Viviane dialoguait davantage avec sa fille, mais négligeait de lui en parler, sachant que ça ne l'intéressait pas.

Laurent comprit pour la première fois — jamais auparavant il ne s'était vraiment posé la question — qu'il ne connaissait pas ses enfants et que ce désintérêt avait dû les blesser depuis longtemps. Il ne suffisait pas de les aimer, de leur donner l'argent dont ils avaient besoin, ou qu'ils demandaient. Même, cet argent avait quelque chose d'insultant. Ainsi la fameuse « vertu d'indifférence » à laquelle il était si attaché, et dont il était certain que la pratique évitait bien des drames, pouvait s'avérer catastrophique. Le coup était rude, devoir admettre ce qu'il avait toujours nié, que s'intéresser aux autres, s'enquérir d'eux, manifester pour eux une inquiétude qu'il éprouvait, mais qu'il gardait toujours par-devers soi n'était pas de l'impérialisme, mais du respect et de l'amitié.

Il s'arrêta juste au moment où il allait s'attendrir sur lui-même, et penser que le péché de bêtise qu'il avait commis, dès l'instant qu'il se l'avouait, allait tourner à l'exquise qualité. Il remonta chez lui. Viviane l'attendait devant la télévision, les enfants étaient sortis, ou allés se coucher.

— Qu'est-ce que nous allons faire, pour Adrien ? Il faudra l'inscrire en candidat libre, s'il est encore temps. Tu sais, il ne supporte pas la contrainte des boîtes, mais il connaît des quantités de choses. Il est bien fichu de passer le bac tout seul, pour peu qu'il veuille nous le prouver.

— Ecoute, on verra demain. Excuse-moi, j'ai du travail.

Laurent s'enferma dans son bureau. Dans le tiroir central, dont il gardait la clé, s'entassaient factures, exploits d'huissiers, commandements. Tout au fond, un papier à en-tête, qu'il relut encore une fois et qui datait de quinze mois.

« Monsieur,

Suite à des décisions de restructuration de notre entreprise, dues au déficit de certains secteurs, dont celui de la vente de livres par correspondance, nous avons le regret de vous informer que votre département, et par voie de conséquence votre poste de directeur général, sont supprimés.

Bien évidemment, vous êtes en droit de demander des indemnités que nous fixerons d'un commun accord, en présence de notre conseil. Il vous est loisible de vous faire représenter, ou assister, lors de cette réunion, par un conseil dont notre société s'engage à régler les honoraires.

Compte tenu des raisons de restructuration économique qui entraînent la disparition de votre poste, vous avez droit aux indemnités de chômage selon la réglementation en vigueur, pendant douze mois, ainsi qu'à des stages de reconversion.

De plus, étant donné que votre poste est supprimé, et à titre gracieux, notre société a décidé de laisser à votre disposition votre voiture de fonction, à charge pour vous d'en assumer l'entretien. Les formalités de transfert seront faites incessamment.

Nous vous tiendrons au courant dès les prochains jours de la date de la réunion, où sera établi le montant des indemnités auxquelles vous pouvez prétendre.

Avec l'expression de nos plus vifs regrets, veuillez agréer, Monsieur... »

Et c'était signé : « Pour le Président-Directeur Général, et par délégation, le Directeur des services administratifs, Chef du personnel : Bernard Descombes. »

8

C'est grâce à Bernard Descombes, et à Mai 68, que Laurent avait définitivement échappé à son destin de professeur et de nègre. Dès avril, le printemps était exceptionnellement précoce, il avait senti que quelque chose changeait. Senti, ni su ni compris. Il flottait dans l'air une décontraction, une anarchie bizarres ; les élèves de terminale ne s'inquiétaient plus de leur examen, et, s'ils posaient des questions, c'était plutôt sur Verlaine et Jean-René Huguenin, qui n'étaient pas au programme, que sur Montaigne et Molière. Laurent s'étonnait, reprenait presque goût à ces heures qui tournaient à la conversation, où s'épanouissaient une curiosité, une culture dont il aurait cru ses lycéens bien incapables. Ils lui avaient apporté des livres d'un sociologue belge, nommé Mandel, qu'il ne connaissait pas et qu'il découvrait avec eux.

Puis il y avait eu cet incident sans importance, mais désopilant. Les étudiantes pouvaient aller passer la nuit chez les étudiants, à la Faculté de Nanterre ; mais il était interdit aux garçons de faire le chemin inverse. Cela au milieu d'un immense chantier en forme d'HLM 1948 qui émergeait péniblement de la boue. Lorsque le représentant des étudiants fit part de ces doléances au ministre qui inaugurait la piscine, celui-ci, désignant d'un geste large le bassin plein d'eau, lui répondit à peu près : Si cela vous travaille, vous n'avez qu'à plonger, ça vous calmera. Or toute la faculté savait que l'étudiant en question était le petit ami de la fille du ministre, qui ne comprit pas pourquoi les officiels avaient peine à retenir leur sérieux.

Quand quelqu'un osa enfin faire entendre au ministre les raisons de son succès, il regagna sa voiture en hâte. Et le chemin des chambres fut ouvert.

Le folklore étudiant amusait une France qui s'emmerdait profondément. L'occupation de la Sorbonne, puis les manifs, les barricades avec leur côté « Si la Commune m'était contée », les nuits d'été éclairées de cocktails Molotov et de voitures qui flambaient, de feux d'artifice, une sorte d'allégresse qui tenait la rive gauche toute la journée, quand Sartre — sois bref ! — et Aragon retrouvaient le Quartier Latin, et le soir qui déchaînait les orchestres d'une violence spectaculaire, mais pas meurtrière, une espèce de championnat régional du pavé, des motos de reporters et des cars blindés, dont on donnait le résultat le soir sur Europe n° 1 et le lendemain dans *Combat*, un quotidien dont la parution était devenue si aléatoire depuis longtemps qu'elle ne retrouva sa régularité que lorsque aucun autre journal ne parut plus.

Laurent, aux premières loges à Montparnasse, déambulait des heures entières du Luxembourg à Saint-Michel, déjeunait et dînait au Balzar, où tous se retrouvaient entre d'interminables assemblées générales ; on ignorait toujours de quoi on traitait, et qui parlait, mais ce n'en était que plus épatant. Les rumeurs les plus folles couraient, un ministre avait clandestinement rencontré les syndicats, un revolver armé dans sa poche, les tanks de Rambouillet allaient attaquer Paris, les manifestants se voyaient déjà alignés au Mur des Fédérés, mais pas un n'aurait eu l'idée de trucider un archevêque. Les murs de Paris fleurissaient d'inscriptions comme les fusils de *L'Ecume des jours,* de Boris Vian, de roses d'acier, et déjà quelques journalistes futés les relevaient scrupuleusement, en attendant que les imprimeurs cessent leur grève pour en faire des livres.

Les fumeurs de cigarettes brunes allaient en chercher sur la rive droite, où l'on pratique plutôt les américaines, et les amateurs de blondes écumaient les tabacs des Gobelins, où la Gauloise est de rigueur. Ceux qui n'étaient pas à court de carnets signaient des chèques qui ne valaient que le prix du papier, les banques avaient déclaré forfait. Puis la police reprit la Sorbonne, et M. Alexandre, le maître d'hôtel du Balzar, murmura doucement : Ces imbéciles auraient pu attendre mardi... C'était son jour de fermeture hebdomadaire, et sa verrière avait déjà éclaté deux fois sous les pavés et les grenades lacrymogènes.

Viviane avait rebondi sur Mai 68 comme sur un tremplin. La psychanalyse descendait dans la rue, on réduisait la politique au père présent — de Gaulle retour de Roumanie —, puis absent — de Gaulle chez Massu en Allemagne, père mythique et mère haïe du Général —, puis retrouvé, et voir Debré et Malraux tituber sur les Champs-Elysées, dans une photo devenue célèbre, donnait la mesure des interprétations. Les Français, après avoir applaudi, émus, fiston qui avait sa photo dans le journal, applaudissaient papa qui l'avait toujours et savait montrer qu'on devait encore compter avec l'ancêtre. Psychologues, politologues et concierges s'en donnaient à cœur joie. Laurent, lui, trouvait qu'on s'était bien amusé dans une époque qui manquait furieusement d'humour, que c'était grand dommage que ça s'arrête aussi bêtement. Ceux qui hurlaient le plus fort que la pompe à essence était le nouveau biberon des Français conduisaient de nouveau leur voiture, et partaient en week-end à la mer, ce qui était tout à fait naturel.

Les manifs, les discussions de bistrot tard dans la nuit, l'odeur des grenades lacrymogènes avaient rappelé à Laurent ses dix-huit ans, qui lui paraissaient d'hier. Les costumes de l'Odéon sur les épaules de jolies filles, cela aussi était beau à voir. Et puis, comme Mélina Mercouri dans *Jamais le dimanche*, tout le monde était allé à la plage. La politique était retombée dans les chiffres de l'inflation et du produit national brut. Seul l'enseignement avait changé, un peu. Allez donc coller un zéro à un voisin de troquet ou à un raconteur de barricades qui s'est totalement planté dans sa traduction de Xénophon, alors que les librairies Budé et Garnier sont en grève ! La démagogie de certains de ses collègues, qui ne rêvaient que de se venger de la peur qu'ils avaient eue, l'écœurait. Autant que la volonté de revanche hargneuse d'une droite qui avait eu chaud aux fesses, et qui attendait les élections pour faire payer aux enfants, les siens et ceux des autres, sa colique.

C'était encore Bernard Descombes qui l'avait sorti de là.

Le jour, précisément, où les gardes mobiles avaient repris la Sorbonne quasiment déserte — on en parlait, selon les goûts, comme de la Bastille, l'Alcazar, Camerone ou le Monte Cassino —, après que Laurent eut vu ce spectacle étonnant de jeunes filles tendant à chacun des flics qui allaient charger une fleur de paix, ce qui ne les empêcherait pas de se faire matraquer et piétiner sauvagement quelques minutes plus tard, Laurent avait rendez-vous avec Bernard pour déjeuner au Balzar, où le foie de veau était toujours parfait, barricades ou pas.

Bernard arriva en retard, essoufflé, comme s'il venait de rencontrer le ministre de l'Intérieur dans les jardins de Cluny ou de semer une vague de CRS rue de la Huchette.

— Tu as vu ?

— Oui, ils ont envahi la Sorbonne ; c'était prévu. Et ils doivent assommer tous ceux qu'ils rencontrent, les Katangais, le doyen, la petite fille du concierge. Ça aussi, c'était prévu.

— Enfin, tout ce bordel, c'est fini. Tu sais, pour l'édition, c'était la catastrophe. Maintenant on va pouvoir faire des bouquins là-dessus, le filon.

Laurent était plus sceptique.

— Les deux premiers, ils marcheront peut-être. J'ai lu que le premier sort demain. Après, les gens vont en avoir marre, et ceux qui y étaient n'en ont rien à faire. Tu ne vas pas me demander d'en écrire un, au moins ?

— Non. C'est plus sérieux. Tu veux toujours continuer à faire le prof et le nègre ?

— Le nègre, ça m'amuse bien. Et parfois ça rapporte. Le prof, c'est moins bien. Pour les deux mêmes raisons. Pourquoi ?

— J'ai peut-être quelque chose pour toi. Je suis en cheville avec un Libanais, qui vient d'Ukraine, plus ou moins naturalisé suisse. Un certain Chavardnizé. Enfin c'est le nom que je connais, le type je ne l'ai pas encore rencontré. J'ai été mis en rapport avec lui par un copain qui est à cheval sur la frontière ; il se fait des couilles en or. Il habite en France et travaille en Suisse, tu ne peux pas savoir ce que ça rapporte, le change. Enfin, cet Ukrainien, quand il est arrivé en Suisse, a eu une idée géniale, qu'il avait d'ailleurs piquée aux Américains. Vendre par correspondance, et même par téléphone. Tout, un frigo et un éléphant rose, des draps ou une bagnole. Tout, sauf ce qui est périssable, la bouffe, les journaux. Mais pour vendre sa camelote, il a bien dû en créer un, journal. Le catalogue ça ne suffisait pas, et puis ça rappelle trop Manufrance, ou La Redoute. Il fallait qu'il fasse de la pub auprès de ses propres clients. Le prospectus, dépassé : les gens le jettent avant de l'avoir déplié, et sont furieux parce que ça encombre les poubelles quand il faut les descendre. Un journal où il y a trop de pub n'a pas les avantages d'un vrai journal, les timbres et le toutim. Alors il a monté un vrai canard, hebdo, cinquante-six pages, pas plus de douze pages de pub, uniquement la sienne, et qu'il diffuse gratuitement sur ses fichiers. Tu sais à combien il tire ? Deux cent cinquante mille. Toutes les agences voudraient prendre des pages chez lui, pas question. Pour lui ça ne sert qu'à vendre des services de table et des bicyclettes.

— Et il me concerne en quoi, ton Ukrainien ?

— Attends. Pour les articles, il a besoin d'un rédacteur en chef, deux ou trois journalistes, les dépêches d'agences. Pour que ça ait l'air d'un vrai journal. C'est en train d'en devenir un, d'ailleurs, ce qui ne lui plaît pas trop. Lui, ce qu'il voit ce sont ses pages de publicité. Enfin il a été obligé d'engager des gens, il m'a trouvé. C'est moi qui dirige le bazar. La première chose que je lui ai apprise, c'est qu'un journal sans pages culturelles, ça n'existe pas, ça n'est pas vraisemblable. J'ai mis au moins quinze jours à le convaincre. Parce que enfin il a trouvé. Il m'a répondu : Nous n'allons pas vendre par correspondance des films, des pièces de théâtre, de la télévision. Dans votre culture, il y a les livres. Et ça, on peut les vendre. Si je peux vendre des livres, banco pour les pages culturelles. Dans sa bouche, ça a l'air d'un gros mot. Mais il est loin d'être con.

— Et alors ?

— C'est là que j'ai besoin de toi. Les livres il faut les choisir, les présenter aux lecteurs, s'entendre avec les éditeurs. L'astuce c'est même d'en parler dans le journal avant que les gens sachent qu'ils pourront les avoir chez nous, par la poste et moins chers. Je cherche ce qu'on appelle pompeusement un directeur littéraire. Quelqu'un qui choisisse la marchandise. La vendre, je m'en charge, et Chavardnizé aussi. Et pas uniquement du bas de gamme. Delly et Proust. Alors si tu veux, je te promets que tu empiles ton salaire de prof, ton travail de nègre, et je te donne le double. Je t'ai dit, il n'est pas idiot. Il paie, parce que autrement le personnel fonctionne mal. Si le lycée t'avait payé correctement, tu n'aurais pas eu besoin de chercher autre chose. Là, tu n'auras plus besoin.

— Accepter, de but en blanc, c'est difficile. Fonctionnaire, c'est une sécurité. Si ton bonhomme n'est pas solide, comment j'élève mes enfants ? Et puis je ne peux pas plaquer le lycée si brusquement.

— Tu veux du temps ? Je peux te donner trois mois. Ton lycée, tu n'as qu'à te faire mettre en longue maladie, ou en congé sans solde. Tu dois pouvoir t'arranger. Quant à la solidité de mon Ukrainien, garantie béton. Je ne t'ai jamais embarqué dans des coups fourrés. Pourtant j'en ai fait quelques-uns.

Laurent dut en convenir.

— Laisse-moi un mois, que j'essaie de me retourner.

Ils arrosèrent ça d'un armagnac 1914.

Au ministère de l'Éducation nationale, le fonctionnaire fut intraitable. Quantité de jeunes professeurs venaient de claquer la porte, le personnel allait finir par manquer. Pas question de le laisser partir.

— Ou alors, démissionnez. Mais vous ne pourrez plus revenir. Et pour la retraite, bonsoir.

Laurent revit Bernard.

— Laisse-moi jusqu'à décembre. Après les vacances, un seul trimestre. Et si les cours me barbent trop, comme je le crains, je les plaque et je marche avec toi.

Bernard finit par acquiescer.

— En décembre ne me laisse pas tomber. Sinon c'est moi qui serai empoisonné.

— Je te jure, en principe, ce sera oui. Pourtant il faut que j'essaie encore un trimestre.

Mai 68 n'avait laissé, dans les lycées, que désolation. Toute la joie s'était enfuie. Les professeurs tremblaient devant leurs élèves, l'administration aussi. Tout en espérant une méchante revanche. Les potaches, à qui on venait d'expliquer que la culture, les diplômes, toutes ces carottes qu'on brandissait sous leur nez, ne valaient pas un navet, et qui sentaient confusément que c'était vrai, les méprisaient et les haïssaient. Il régnait un désintérêt rancunier qui empêchait même de remplir les heures de cours par le plus banal bavardage. Laurent, qui tutoyait peu, avait toujours voussoyé ses élèves. Il n'y avait pas de raison pour qu'ils ne fissent pas de même. Le côté « Proletenkult » et « camarade professeur » n'était pas son genre. Alors il passait pour un prof bourgeois exploiteur des masses travailleuses, lesquelles masses travailleuses, dans le lycée où il enseignait, étaient composées d'enfants de la moyenne bourgeoisie, plus paumés que paresseux.

Quant à la Révolution, dans la France industrialisée et prospère, elle était à ranger entre deux pages du *Manifeste* et *Que faire ?* Elle appartenait à l'histoire littéraire, tome quatre ou cinq de Lagarde et Michard.

Laurent aimait quand même ces garçons et ces filles de quinze ou seize ans qui, parce qu'ils n'avaient connu aucun événement politique — ils avaient dix ans à la fin de la guerre d'Algérie, dernier soubresaut un peu notable —, essayaient désespérément d'en créer un. Mais ils avaient autant de chances d'y parvenir que Iouri Gagarine de rencontrer Dieu sur la lune. Et puis ce n'était pas parce qu'ils étaient touchants qu'ils avaient le droit de le traiter de vieux con fasciste. Pour lui le mot signifiait encore quelque chose, et il aurait préféré être mort que mériter l'épithète.

Une goutte d'eau fit déborder la coupe. Un beau matin quelques élèves d'un autre lycée débarquèrent dans sa salle de cours et, au nom d'un groupuscule qui se réclamait de Mao, le « Président Mao », décidèrent d'organiser un procès populaire dont il était l'accusé. Laurent vit rouge. Après avoir, en deux phrases, expliqué ce qu'il pensait de la justice en général et de la justice populaire en particulier, il attrapa l'un des procureurs par le col, commença de le secouer et de l'étrangler, sans pouvoir se contenir. Les autres, terrorisés par sa fureur, hurlaient à l'agression et au meurtre. Au bout d'une minute, comme sa victime remuait de moins en moins, Laurent relâcha sa prise. Le gamin tomba par terre, en tas, suffoquant et sanglotant. Laurent le releva, lui caressant les cheveux comme pour se pardonner à lui-même... Puis il se tourna vers les élèves médusés.

— Vous avez vu ce que c'est, la terreur. Imaginez ce que peuvent faire quarante brutes, ou deux mille, contre un seul. Moi je me tire, trouvez un autre accusé pour vos procès. Bientôt vous vous jugerez et vous vous condamnerez entre vous. Que le meilleur perde, jusqu'au dernier. Salut.

Il sortit en fermant doucement la porte, se rendit chez le proviseur.

— J'ai l'honneur de vous dire que je m'en vais. Vous étiez au courant, ou alors c'est que votre police est mal faite. Ils vous font peur, et, quand vous pourrez, vous vous vengerez. Et ils seront encore les victimes. Moi je ne veux pas participer au massacre. Je donne ma démission. Tant pis pour la retraite. Bonsoir.

En quittant le lycée, Laurent savait qu'il n'y retournerait jamais, il en eut comme un petit serrement de cœur. Ce qu'il ne pouvait imaginer c'est que, quelques années plus tard, deux des « maoïstes », convertis sans doute, viendraient lui proposer un essai sur Camus suintant d'angélisme et de libéralisme. Et que, pour les punir, il le publierait. A la même époque, les derniers terroristes, enfermés dans leur logique folle, louaient des planques à la campagne et cimentaient des barreaux dans des fenêtres d'étable pour construire des « prisons du peuple ».

Le soir même, Laurent appelait Bernard.

— Viens demain matin, autant commencer tout de suite.

Les bureaux, avenue Victor-Hugo, étaient luxueux. Laurent s'étonna :

— Tu es plutôt bien installé. Mais ce n'est pas d'ici que tu peux expédier tout ton bazar.

— Heureusement. Tu visiteras bientôt. Quinze mille mètres carrés au sol, vers Compiègne. On est en train d'en construire trois mille de plus, uniquement pour tes bouquins. Ici il y a juste le personnel de direction, un directeur par département, les secrétaires et le standard.

Le bureau de Bernard était plein de soleil et de plantes vertes.

— Avec les voitures en bas, ça doit être infernal ?

— Tu entends quelque chose ? Double vitrage et climatisation. Et c'est un bidonville, à côté des bureaux du patron à Zurich et à Luxembourg. Luxembourg, tu comprends, pour les impôts c'est nettement plus avantageux.

— Ce patron, il ne faut pas que je le rencontre ?

— Inutile, je lui ai parlé de toi longuement. Il a même regardé quelques-uns de « tes » livres. Et il a pensé que tu ne dois pas être

133

snob. Pour notre clientèle, les poètes d'avant-garde sont un peu hermétiques. Tu verras. Moi je crois qu'on devrait commencer par des œuvres complètes. Pas seulement Hugo et Balzac, ça rappelle trop l'école. Non, des classiques à gros tirages d'il y a trente ou cinquante ans. Vingt ou trente volumes ça fait sérieux, et on peut mitonner une sorte d'abonnement. Reliure en plastique faux cuir, beaucoup de doré sur la couverture et surtout sur le dos. Que les gens puissent les admirer dans leur bibliothèque. On est en train de prendre contact avec les marchands d'appartements, style grandes tours, HLM en un peu mieux, pour qu'ils prévoient toujours un coin-bibliothèque. Un « plus » culturel, quoi. Ce coin, c'est à nous de le garnir. Malheureusement on ne peut pas vendre les bouquins avec l'appartement. On aura quand même les noms et les adresses des acheteurs, et à nous de jouer. Viens, on va voir ton bureau.

C'était une très grande pièce, un peu moins claire que celle de Bernard; un imposant bureau design, une sorte d'alcôve avec une table stricte pour la secrétaire, qui était déjà là. Sur les murs, des rayonnages, vides.

— Il faudra que tu passes chez deux ou trois libraires, pour garnir. Tu choisis ce que tu veux, et tu fais faire les factures au nom de la société.

Bernard rit.

— N'achète quand même pas que des originales surréalistes, la comptabilité aurait un
coup de sang. Mais quelques-unes, tu peux. Et
quelques livres anciens, reliés en cuir, eux. Ça
te posera auprès des gens qui viendront ici.
Pour eux tu dois être l'intellectuel, pas le marchand. La vente et le fric, c'est nous que ça
regarde. On n'a pas pris un agrégé pour rien.
Tu auras ton titre sur tes cartes de visite.
Indispensable.

— Mais j'ai démissionné.

— Aucune importance. Notre devise est :
agregatus in aeternum.

Bernard fit signe à la secrétaire qui sortit
sans bruit.

— Maintenant, parlons fric. Ton fric. Combien tu gagnais ?

— Un peu moins d'une brique comme prof,
un peu plus d'une brique avec « mes » livres,
comme tu dis. Tu le sais comme moi.

— C'est ce que j'avais compté. Je suis autorisé à te proposer le double. Quatre unités par
mois, un treizième mois l'an prochain. Après,
quand ça marche, en plus tu auras des primes.
Parce qu'on ne compte pas faire de bénéfices
avec tes livres avant trois ou quatre ans. Si tu
parviens à raccourcir le délai, on te le revau-
dra largement. La boîte est plutôt généreuse.
Il est vrai qu'avec le blé qu'ils font ! C'est
O.K. ?

Laurent était estomaqué. Tout cet argent
d'un coup, sans même se battre pour l'obtenir.

Il ne lui vint pas une seconde à l'esprit qu'il les valait, ces quatre millions.

— Tu parles, si ça va. J'ai l'impression d'avoir perdu mon temps, jusqu'à aujourd'hui !

— Allez, je t'emmène déjeuner, avec les deux directeurs qui sont libres. Les autres, tu feras leur connaissance après. Tu verras, la manie ici ce sont les stages, les séminaires, dans de chouettes endroits, sur la côte ou à la campagne. Tu les verras bien assez souvent, c'est toi qui te lasseras le premier.

La table était retenue chez Ledoyen. Bernard présenta Laurent au responsable de la réception.

— Voici M. Laurent Bruyer, qui travaille désormais avec moi. Veillez à l'inscrire, pour qu'il puisse signer quand il aura un déjeuner.

En gagnant sa table, il poursuivit :

— Essayez de lui donner toujours la même table, près d'une fenêtre, c'est plus agréable. Mais assez éloignée de la mienne, pour que nous ne nous gênions pas, si nous mangeons avec des personnes différentes.

— C'est entendu, monsieur Descombes.

Bernard semblait aussi à son aise que s'il avait toujours vécu ici.

Il expliquait à Laurent :

— Tu vois, pour les éditeurs, les auteurs, nous serons toujours un peu des marchands de soupe, des vendeurs de cavalerie. Il faut avoir l'air d'autant plus chic, et riche. Nous avons choisi cinq ou six restaurants de cette classe où nous invitons, plus un ou deux petits bistrots snobs, où nous allons la troisième ou quatrième fois, pour montrer que nous ne sommes pas des ploucs qui viennent d'acheter le Guide Michelin. Ça n'est pas le genre de ceux avec qui tu vas traiter, mais, pour certains gros fournisseurs, et pas seulement étrangers, il y a aussi des cabarets, et le téléphone de Mme Claude. Ça fait partie du métier. Si tu es tenté, on peut toujours s'arranger. Mais toi, n'oublie pas, tu es le savant, l'homme de la littérature. Et la littérature, on doit la respecter.

Les deux autres convives étaient déjà installés. Bernard les nomma, indiqua leur domaine. L'un s'occupait des automobiles, l'autre des articles ménagers.

— Deux gros budgets. Si tu arrives au quart, nous aurons gagné.

Laurent n'avait pas de relations dans le monde des affaires, du commerce. Une fois il avait dîné chez des amis avec un banquier qui n'avait parlé que de Picasso et des Ballets russes, comme s'il venait de lire un livre sur le sujet. Là il pouvait poser des questions ; il comprit vite que ces gens qui avaient à peu près son âge, dont le travail consistait à acheter le moins cher possible et à vendre le plus d'objets possible, étaient intelligents, avaient davantage de psychologie que tous les amis psychanalystes de Viviane, en tout cas de psychologie concrète, sur le tas, et qu'ils réussissaient parce qu'ils étaient passionnés par ce qu'ils faisaient. Et passionnants quand ils en parlaient. Ils connaissaient, en outre, Picasso et les Ballets russes, même s'ils n'éprouvaient pas le besoin de faire d'esbroufe. Laurent savait écouter et interroger, il avait fait passer suffisamment d'oraux pour cela. La nourriture était classique mais excellente, le service parfait et l'argenterie magnifique, ce qu'il entendait lui apprenait une foule de choses dans des domaines qu'il ignorait. Que rêver de mieux ? Au café il eut l'idée d'appeler Viviane pour la mettre au courant ; mais ce qui se disait à table l'intéressait bien trop. Il serait temps ce soir.

Les deux directeurs semblaient étonnés que Laurent ne méprisât pas les réfrigérateurs ni les berlines familiales. Il expliqua brièvement qu'il aimait la littérature, mais que cela ne conférait aucune supériorité particulière. Il ne faisait pas partie de ceux qui ont fait cette littérature, qui la font encore aujourd'hui, ceux dont on ne connaîtrait les noms que plus tard, les génies. Et que les plus grands génies de l'humanité étaient restés anonymes : le premier qui avait cassé une huître pour goûter ce qu'elle contenait, celui qui avait inventé la roue, le nombre zéro, ou mis au point la préparation du caviar.

Bernard était ravi du déjeuner.

— Je crois que votre contact a été bon. Tu as déjà joué à la roulette ?

— Jamais. Bridge et poker, c'est tout.

— Tu pourras bientôt, et apprendre d'autres trucs. Nous avons un séminaire, pas le week-end prochain, celui d'après, à Dinard. Fais gaffe à ne pas perdre six mois de salaire d'avance ! A propos d'avance, je peux t'en faire verser une. Tu me diras ça demain. 9 heures et demie avenue Victor-Hugo...

Puis les trois hommes montèrent dans un taxi qui les attendait. Laurent était éberlué que tout soit allé si vite. Sa vie venait d'être bouleversée, et Bernard lui donnait rendez-vous pour le lendemain matin au bureau, naturellement. Tout juste s'il n'avait pas ajouté : comme d'habitude.

Pour digérer la situation, et le repas qu'un énorme verre d'armagnac avait clos, Laurent entra dans le premier cinéma des Champs-Elysées qu'il rencontra ; avant de récapituler, d'analyser, il s'endormit du sommeil du juste que Dieu a récompensé. Quand il se réveilla, la bouche un peu pâteuse, il se hâta vers le café le plus proche pour boire une bière fraîche, bienfaisante. Il ne sut jamais devant quel film il avait si bien dormi.

Lorsqu'il annonça à Viviane :

— Ce matin, j'ai changé de métier, elle lui demanda s'il avait bu.

— J'ai bu aussi, un peu trop, à déjeuner.

Et on va continuer, j'ai remonté une bouteille de champagne.

Il ne lui avait pas parlé des propositions de Bernard, quelques mois plus tôt. Par superstition, et parce qu'il aimait prendre ses décisions seul. Il lui raconta sa matinée.

— Décidément, Bernard décide de ta vie. Il te fait nègre, puis te transforme en directeur commercial d'un rayon de supermarché. Tu ne trouves pas ça un peu, comment dire, réducteur ?

Laurent était sûr que le mot, alors à la mode, arriverait.

— D'abord je ne suis ni directeur commercial, ni chef de rayon. Je suis directeur littéraire. Ça a son intérêt, de faire lire de bons livres à des gens qui ne les connaissaient pas. Je ne suis pas forcé de publier de la merde, même si je me vois mal proposer les séminaires de Lacan. Et quatre briques au lieu de deux, pouvoir refuser un contrat, cesser de rédiger n'importe quoi, les faux Mémoires d'un inspecteur de police ou d'une strip-teaseuse, ou, ce qui est pire, les articles prétentieux d'un vieux réac, ce n'est pas rien.

— Je croyais que ça t'amusait, d'être nègre, passer d'un truc à l'autre, comme un virtuose, un funambule. Et puis toujours l'argent... Nous en avons pourtant assez !

Laurent soupira. Viviane commençait à avoir des patients, juste pour s'offrir sans hésiter des robes ou des chaussures chères, descendre dans un meilleur hôtel quand elle se rendait à un congrès, et ne pas lui demander de faire les courses quand ils avaient six personnes à dîner. Tout le reste, les impôts, le loyer, la bonne, les week-ends, ce n'était pas son problème. Elle ne se demandait pas comment Laurent se débrouillait. C'est vrai qu'il n'était pas économe. Et après ? Il travaillait bien assez pour avoir le droit de vivre. Sans doute la société ne l'entendait-elle pas de cette oreille. Avec l'avance de Bernard, il pourrait se remettre à flot.

— L'argent, tu ne te rends pas compte. Il en manque toujours. C'est plus commode d'en avoir davantage. Tiens, j'ai déjeuné avec un des directeurs, celui qui s'occupe de vendre des voitures par correspondance. Il m'a promis de m'avoir un de ces modèles que les grosses boîtes gardent pour leurs pontes, qui ont roulé vingt mille kilomètres et qui ont été parfaitement entretenues. Elles sont encore révisées avant d'être revendues. Trente pour cent de moins que le prix d'une neuve. La nôtre rend l'âme. Je lui ai demandé de regarder du côté de Mercedes ou de BMW. Avec le même système, l'an prochain, je pourrai en avoir une autre pour toi.

Viviane, qui en avait envie, et que cela agaçait de devoir demander les clés de celle de Laurent, n'avait plus d'arguments.

— Enfin, c'est à toi de voir. Mais on est loin de la thèse, et de la Sorbonne.

— Heureusement. Si tu avais vécu ces trois derniers mois, au lycée ! Le plus beau, des maos voulaient me faire un procès, comme ennemi du peuple et chien de garde de la classe exploiteuse, et me déférer, tiens-toi bien, devant la « justice prolétarienne », c'est-à-dire eux. Terrifiant. Je me suis tiré avant d'en tuer un.

— Tu es drôle. Tu es prof, tu représentes une culture d'oppression, inaccessible à des millions de jeunes, et tu voudrais qu'ils t'aiment ?

— La culture, figure-toi, je ne croirai jamais que ça soit une tare. Quant à mes élèves, comme opprimés, tu repasseras. Allez, on finit la bouteille avant de se disputer, et je t'emmène dîner chez le Russe.

Charlotte qui se trouvait là eut aussi droit au restaurant russe, et détesta le caviar. Elle mangea tous les blinis avec de la crème et s'endormit à table. Laurent était heureux.

9

Laurent relisait sa lettre de licenciement, toujours sans comprendre. Pourtant, depuis quinze mois, il avait bien sorti cent fois le papier de son tiroir, et il en savait chaque terme par cœur. Il ne parvenait pas à admettre qu'on puisse supprimer un service qui marchait. Il avait conservé une âme naïve de fonctionnaire et d'honnête homme pour qui, puisqu'il remplissait son contrat, tout devait continuer comme avant. Quelque temps auparavant il avait appris que sa boîte, comme tous l'appelaient, vendait moins bien, beaucoup moins bien, dans le domaine des appareils ménagers, des automobiles et des vacances au soleil. Le seul secteur qui fonctionnait encore était celui des livres, donc, par une logique évidente mais qui lui échappait, le plus menacé. C'était le seul argument de vente que conservait le P-DG: il ne pouvait monnayer l'ensemble qu'à un groupe qui désirait s'implanter, ou s'agrandir, dans la vente des livres par correspondance. Mais l'éventuel repreneur, le seul qui se soit présenté, avait déjà quelqu'un qui travaillait sur ces questions, et n'avait pas besoin de Laurent. Mieux, il ne pouvait racheter que si Laurent était éliminé.

Pris d'enthousiasme lorsque Bernard lui avait proposé le poste, il n'avait pas pensé à faire examiner par un professionnel sa lettre d'engagement. Par exemple on ne lui reconnaissait aucune ancienneté ; mais il l'avait appris trop tard.

Il avait mis longtemps à joindre Bernard, qui lui avait tranquillement expliqué le mécanisme.

— Ne crois pas que j'y sois pour quelque chose. La lettre, ce n'est même pas moi qui l'ai expédiée. Elle est partie directement de Zurich, on m'a simplement communiqué une photocopie. Ils ont là-bas des papiers à en-tête présignés, cela fait partie de mon contrat. Même ma lettre de démission, il n'y a qu'à mettre la date. Pour toi, je te jure que je l'ai appris trop tard. Quand j'ai su que la boîte rapportait moins, j'ai cru que le seul département qui ne risquait rien, c'était le tien. Moi non plus, je n'avais pas compris, je n'avais pas été assez cynique pour comprendre. Quand j'ai su qui rachetait l'affaire, c'était râpé. Ils auront toujours besoin de quelqu'un comme moi ; Bernard Descombes ou un autre, ils s'en foutent. Toi tu embarrassais parce que tu avais réussi, c'est toujours suspect d'être le seul bon dans une boîte qui coule. Et puis ils ont quelqu'un d'autre à mettre à ta place, quelqu'un qu'ils vireront peut-être dans six mois. Quand j'ai établi ton contrat, je ne pensais vraiment pas que ça pouvait arriver. Je croyais que c'était du bronze pour trente ans. Surtout quand j'ai vu que ça marchait. Pardonne-moi, mais c'est aussi de ta faute! Tu aurais dû faire plus attention.

Laurent ne comprenait plus.

— Mais quand tu m'as parlé, je n'en revenais pas de bonheur. J'étais heureux comme Dieu en France. Je n'allais pas en plus te demander des garanties pour la vie !

— Écoute, ce n'est pas la peine de regretter, ça ne sert à rien. Après tout, pendant plus de dix ans, tu as été très bien payé... D'accord, tu as fait du très bon boulot, grâce à toi nous avons gagné pas mal d'argent. Mais tu vas toucher des indemnités confortables. Au fond, ce n'est pas une mauvaise affaire. Tu as une réputation extra sur le marché, tu vas sûrement retrouver quelque chose dans le mois qui vient.

— A cinquante berges ?

— L'âge ne fait rien à l'affaire. Souviens-toi, Brassens. Ce qui compte, c'est le talent, l'expérience. Tu as les deux. En tout cas, si j'entends parler de quelque chose, je te contacte. Et si on peut te reprendre dans la nouvelle boîte, je te jure, tu gardes les indemnités et on doublera ton salaire. Tu as vu, ils t'ont laissé la voiture. Quand elle sera morte, ou que tu la changeras, tu nous préviendras. Les papiers sont à notre nom. Allez, ne te fais pas de mouron. On déjeune un de ces jours.

La formule était terrible. Laurent avait entendu plusieurs fois Bernard la prononcer, puis, le téléphone à peine raccroché :

— Ce con, qu'est-ce qu'il croit ? D'ici que j'aie du temps à perdre !

Laurent comprit qu'il était définitivement largué, tombé aux oubliettes.

Pourtant, dès le début tout avait été parfait. A 10 heures du matin, Bernard était entré dans le bureau.

— Je suis sûr que tu as des affaires à régler. une avance, dix briques. Tu toucheras quand même ton salaire, on réglera ça avec les primes de fin d'année. Mais, par pitié, va t'acheter deux ou trois costumes. Je connais un magasin qui a des manteaux en poil de chameau et en vigogne, je leur ai téléphoné. Voilà l'adresse, ils te feront un prix.

L'après-midi, le directeur du département automobile venait le voir.

— J'ai trouvé une BM épatante, pour onze bâtons c'est donné, elle en vaut le double. Ils vous l'apporteront demain, et reprennent même la vôtre. Dix mille balles, dans l'état où elle est, c'est un cadeau. Pour le règlement ne vous inquiétez pas, la société s'en occupe, un prêt à 2 % sur cinq ans. Il me faut juste votre quittance de loyer, ou d'EDF, et vos papiers, pour la carte grise. Et ça, on vous le fait à l'œil. Depuis le temps qu'on leur en vend, c'est bien le moins.

Le lendemain à midi Laurent avait commandé trois costumes sur mesure, changé de voiture, et, pardessus de vigogne sur les épaules et chèque en main, reconquis l'estime et l'amitié de son banquier.

En parcourant les rayons de deux ou trois grandes librairies pour meubler ses étagères, Laurent avait compris par quoi il allait commencer son travail... En republiant, avec des préfaces d'auteurs connus, les classiques du XXᵉ siècle. Il existait malheureusement déjà une collection qui portait ce titre, série de courts essais biographiques et critiques. Mais la liste même des auteurs traités allait lui donner les premières indications. Les suivantes, il irait les chercher dans celle des meilleurs succès des collections de poche. C'était un excellent argument de vente, en effet, de pouvoir dire aux acheteurs que ces livres serviraient aussi aux études de leurs enfants. Or c'étaient les lycéens et les étudiants qui achetaient les livres de poche. Enfin, Laurent le constata en cherchant quelques titres, bien des livres de ces auteurs étaient rares ou épuisés, et quand on avait publié leurs œuvres complètes, c'était de leur vivant ; donc il manquait tous les textes posthumes.

Il passa deux heures à rédiger son projet,

qu'il fit taper et déposer sur la table de Bernard. Le lendemain, celui-ci débarquait dans son bureau.

— Tu ne perds pas de temps, dis donc. J'ai télexé à Zurich, le patron est sidéré. Il était prêt à démarrer sur tous les auteurs dont tu cites le nom. Moi je crois qu'il faut y aller plus doucement, commencer par quatre. Il faut voir comment ça va réagir du côté du commercial. Ils n'ont jamais entendu parler de tous ces gens-là. Épatante, ton idée de les vendre en même temps aux parents et aux enfants. Tu ne le savais peut-être pas, mais tu es doué pour le commerce. Une seule chose me chiffonne. Ton idée de faire écrire des préfaces, des notes. On n'édite pas les Belles Lettres, ou la Pléiade. Ça va perdre du temps, et de l'argent.

— Ce n'est pas parce que j'ai été prof que je veux faire des éditions savantes... Mais le nom d'un académicien connu, et il y en a deux ou trois, ça impressionne les gens. C'est aussi un argument de vente. Et tu pourras faire une prépublication dans ton journal, il faudra prévoir ça dans les contrats. Si pour le même prix on peut faire une édition convenable, ça se saura vite.

— Mon petit vieux, heureusement qu'on t'a engagé avant que quelqu'un d'autre ait eu l'idée. Ç'aurait été la ruine. A propos, il paraît qu'ils t'ont trouvé une belle voiture ? On va la faire passer comme voiture de fonction, tu feras des économies. Dans ta liste de bonshommes, qui est-ce que tu vois d'abord ?

— Des gens qui aient suffisamment écrit, ni trop ni trop peu ; entre quinze et vingt volumes. Des auteurs encore très connus. Si on en fait quatre, il faut aussi un classique. Qu'est-ce que tu dirais de Maupassant ?

— Et les trois autres ?

— Je pense à Kessel ! Le côté reporter et romancier. Ça n'a pas pris une ride. Et puis Pourrat : les contes et le régionalisme, ça marche. Il a bien été un peu pétainiste, mais on n'est pas obligé de s'étendre. Et il n'était pas le seul. Pour le quatrième, il faut taper dans les modernes, du côté de Sartre ou de Camus. Ça dépendra de l'éditeur.

En fin de compte, après de longues négociations, Laurent obtint Simone de Beauvoir.

En descendant, vers 7 heures, dans la cour de l'immeuble où on lui avait réservé une place de parking, et en montant dans sa voiture, Laurent eut presque peur. La mariée était trop belle, le BMW noire, avec ses sièges en cuir, sa stéréo et son téléphone, trop imposante. S'il avait eu une casquette, il se serait pris pour le chauffeur. Puis il se dit qu'il ne pouvait plus faire machine arrière. Il avait quitté l'enseignement, pour toujours. Il y avait cette énorme boîte, ce département à créer, et il réussirait. Forcément. Il n'avait pas le choix.

Le premier séminaire auquel il prit part lui

parut une énorme blague. Quelques cadres étaient venus de Suisse, généralement avec de jolies filles qu'ils présentaient, au petit bonheur, comme leurs femmes ou leurs secrétaires, manifestement des petites amies d'occasion, parfois secrétaires, en effet. Bernard avait retenu un hôtel entier, à quelques kilomètres de Dinard, et chacun trouva, dans sa chambre, le programme. Du vendredi soir au dimanche midi, deux exposés d'une heure, par les deux directeurs d'une agence de publicité qui faisait parler d'elle, deux déjeuners en commun, par petites tables, avec le nom de chacun devant l'assiette, « pour mieux faire connaissance », et un après-midi « informel » de libres discussions entre les participants, selon les affinités personnelles. Le reste du temps, si on le souhaitait, on pouvait s'inscrire à des promenades organisées et des visites culturelles. Le carton donnait quelques adresses de clubs de tennis et de golf, la liste des restaurants où l'on pouvait signer l'addition, sur présentation du badge. Des prospectus pour quelques boîtes de nuit, où l'on signait également, et une carte d'entrée pour le casino, valable trois jours.

Laurent était venu seul. Sa secrétaire personnelle lui en avait voulu de ne pas l'emmener, et lui avait fait comprendre qu'il avait tort, qu'elle pouvait taper les lettres et répondre au téléphone la journée, et se rendre libre le soir. Elle était assez jolie, bien faite et avenante, mais il aurait eu l'impression de jouir indûment d'une rente de situation, ce qui ne lui plaisait guère. Quant à emmener Viviane, pas question. D'abord il était persuadé qu'il s'agissait d'un week-end de travail, où elle n'aurait su que faire. Et puis elle était capable, si les convives l'ennuyaient, de se lever en plein dîner et de quitter la table avec un : « Décidément, je m'emmerde trop avec vous », qui aurait fait mauvais effet. Or il ne connaissait aucun des participants.

Bernard l'accueillit.

— Tu vas voir, ta venue intrigue tout le monde ; puisqu'on ne te connaît pas. Si tu veux draguer, ça ne doit pas poser beaucoup de problèmes.

Laurent avait déjà vu le programme.

— A quoi ça rime ? En tout cas pas avec travail. On bouffe, on baise, et puis quoi ? Tu dois claquer des fortunes.

— Ça n'est pas la question. On offre ainsi un week-end peinard aux cadres, qui ont une excuse pour ne pas le passer en famille. Les Suisses sont ravis, et ce sont eux qui nous gouvernent. Ce soir, je t'emmène au casino.

— Je n'ai jamais joué. Je ne connais ça qu'au cinéma.

— Raison de plus, les puceaux portent bonheur. Je t'apprendrai le black jack et la roulette, tu vas me faire gagner des paquets.

Chacun devait accrocher à son revers un badge portant son nom et le département où il travaillait. Au début de la première réunion un Suisse lut le message du patron, qui se voyait navré de ne pouvoir participer au séminaire, s'en excusait, souhaitait à tous bon travail et assurait chacun de sa confiance. Le discours fut fort applaudi. Puis un publicitaire fit un topo d'une banalité désolante, sur l'art et la manière de susciter les besoins dans la société de consommation; Laurent enrageait en pensant que cet ahuri devait toucher au moins un million pour débiter ces âneries. Il fallait que tout le monde vive, d'accord, mais il y a des limites à l'indécence.

A 4 heures tout était terminé. Bernard avait donné rendez-vous à Laurent le soir dans le meilleur restaurant de Dinard. En attendant il prit sa voiture, alla faire un tour sur la digue et but deux bières à une terrasse fleurie.

Bernard avait l'air pressé d'aller jouer. Sitôt le café avalé, il fallut décamper.

— Allez, tu prendras un cognac là-bas, il y a un bar dans la salle de jeu. Je te préviens tout de suite. Je vais t'expliquer le black jack. La roulette, c'est plus facile devant la table. Et ensuite on ne se parle plus. Je jouerai comme toi, sauf si je m'aperçois que je te fais perdre. Mais quand on joue, on est toujours tout seul. Une fois là-bas, je ne te connais pas. On se retrouve dehors, à minuit juste. Il faut toujours se donner un terme. Pas comme au poker, où l'on prolonge. C'est le seul moyen de savoir si on a gagné ou perdu, quand la dernière bille qu'on a jouée est tombée dans la case.

Bernard avait un air grave que Laurent ne lui connaissait pas.

— Pourquoi toutes ces règles ? Au poker tu joues contre des gens, que tu peux aimer ou haïr, il vaut mieux les haïr pour gagner. C'est pourquoi je n'aime plus jouer avec de vrais amis. Mais là tu joues contre une machine, ou avec elle. Il n'y a pas besoin de sentiments, de règles.

— Détrompe-toi, bien davantage, puisque la roulette n'en a pas, sinon de gagner forcément un trente-sixième à chaque fois, puisqu'il y a trente-six numéros, plus le zéro, et que, si tu gagnes un numéro plein, on ne te paie que trente-cinq fois. Il ne faut jamais oublier que c'est une machine, que tu dois te montrer intelligent, en sachant que la loi des séries marche un peu plus souvent que le hasard. Si deux fois la roulette sort de petits numéros, joue en haut du tableau, pas plus loin que le onze. Si elle sort les derniers numéros, joue le trente-six et les six derniers.

— Et le black jack ?

— Ça, c'est pour se reposer les nerfs. Souvent le croupier est une croupière, jolie. Quand tu perds, tu as l'impression de lui faire un cadeau, quand tu gagnes, c'est elle qui t'en fait un. Le principe est simple : elle distribue deux cartes à chacun des parieurs, et deux à la banque. Il faut faire vingt et un, ou s'en approcher le plus. Si tu es plus près de vingt et un qu'elle, tu as gagné; sinon tu as perdu. Si tu dépasses vingt et un, parce que tu as le droit de demander davantage de cartes, tu as perdu, si elle dépasse elle paie tout le monde. Si tu as deux honneurs, ou deux as — l'as vaut, comme on veut, un ou onze, les honneurs dix, les cartes leur chiffre — tu peux dédoubler. Elle te donne deux jeux, tu doubles ton pari. Mais attention: au black jack on gagne lentement et on perd vite.

Le portier ouvrait les battants vitrés. Bernard tendit les deux cartes au contrôle. On chercha sa fiche. Laurent n'en avait pas. Il dut présenter sa carte d'identité, signer. Bernard s'impatientait. Ils entrèrent.

Laurent fut d'abord frappé par le silence. Il y avait là une centaine de personnes, on n'entendait qu'un doux murmure, le bruit sec des plaques, le ronflement des trois roulettes. Le temps que les joueurs garnissent le tapis était long, certains jetaient des jetons ou lançaient des ordres au croupier alors que la bille tournait déjà, et que le rituel: Rien ne va plus était prononcé depuis plusieurs secondes.

— Tu vois, ceux qui jouent au dernier moment sont les plus superstitieux; ils craignent qu'on les copie, que la roulette s'en aperçoive et qu'elle les fasse perdre. On a de drôles de rapports avec cet appareil.

Bernard expliqua rapidement les douzaines, les sizains, les carrés, les plaques à cheval,

comment jouer le 8 et les voisins, ou les orphe-
lins du zéro. Laurent n'avait pas tout compris.
Les gens, autour de la table, les regardaient,
amusés...

— Nous allons d'abord au black jack, sinon,
comme ils ont repéré que c'est la première
fois que tu joues, ils vont tous jouer comme
toi, et nous ennuyer.

Bernard aussi était superstitieux. Nouveau,
ça ! En tout cas ce n'était pas l'image qu'il
donnait de lui au travail. C'est vrai que la
croupière était jolie, et souriante. Au change,
Laurent avait tendu deux cents francs.

— Tu es fou, avec ça, tu ne tiendras pas dix
minutes. Prends-en au moins mille.

Bernard, lui, avait donné un chèque, et reçu
dix mille francs de jetons.

— On peut payer par chèque, ici ?

— Si tu es connu, oui. Tu veux que je leur
demande, pour toi ?

— Non, merci.

Avec ses mille francs en plaques de 100 et
de 50, Laurent se sentit riche. Ils jouèrent
d'abord au black jack, où Laurent perdit deux
cents francs en six coups, le quatrième étant
gagnant. Puis ils s'approchèrent d'une table
de roulette, pas celle où il avait pris sa leçon.
Bernard lui rappela :

— On reste ensemble ou pas, mais on ne se
parle pas. D'accord ? Et rendez-vous, quoi
qu'il arrive, à minuit sur le trottoir.

Laurent fut si vite fasciné par le tapis vert

couvert de chiffres qu'il oublia totalement la présence de Bernard. Il jouait prudemment, dix francs sur les numéros et cinquante sur les chances simples. Pendant une heure il se maintint à flot, ayant touché un numéro plein mais ayant encaissé une série de nombres impairs alors qu'il misait pair. Quand il changea, ce fut pair qui sortit, mais deux fois il avait placé dix francs sur les six derniers, et le trente-quatre était sorti.

Puis, pendant une demi-heure, il perdit. Il ne jouait plus que dix francs sur le rouge, c'était le noir qui arrivait. Dix francs sur la dernière douzaine, c'était le vingt-quatre. Son tas de jetons fondait, il commençait à regretter d'avoir changé tant d'argent, l'équivalent des différences qu'il faisait au poker, en jouant toute une nuit.

Il ne lui restait plus que cent francs lorsque la chance vint. Il s'était fixé bêtement sur un numéro, le vingt-huit, parce que c'était le jour de sa naissance. Et, comme le treize lui portait malheur, il le joua pour conjurer le sort, et faire sortir le vingt-huit. Ce fut le treize. Pour cinquante francs, il eut mille sept cent cinquante francs. Il remit vingt francs sur chaque. Et ce fut le vingt-huit. Il y avait sept cents francs à lui sur le vingt-huit, il oublia de les reprendre. Le vingt-huit sortit de nouveau. Il gagnait vingt-quatre mille cinq cents francs. Comme il l'avait vu faire à des voisins heureux, il tendit une plaque au croupier.

— Pour le personnel.

— Merci, monsieur.

Il s'aperçut qu'il avait donné une plaque de mille francs, se demanda si ce n'était pas trop, si ça ne faisait pas parvenu. Mais le croupier était resté aussi impassible que s'il lui avait donné dix francs.

Laurent refit le même jeu, à cinq cents francs, sur le treize et le vingt-huit. Sur le vingt-huit les autres joueurs empilaient les jetons. Ce fut le treize qui sortit à nouveau. Laurent gagnait encore dix-sept mille cinq cents francs.

A ce moment quelqu'un lui tapa sur l'épaule.

— Il est minuit, Docteur Schweitzer.

C'était Bernard.

— Tu vois bien que je gagne. Et beaucoup.

— Aucune importance. C'est moi qui t'ai amené, je suis responsable de toi. Demain tu reviendras seul, si tu veux. Allez, je t'embarque. On va fêter ça au bar de l'hôtel.

Devant l'avalanche de billets de cinq cents francs, Laurent restait stupéfait. Il voulut en donner la moitié à Bernard.

— Je te dois bien ça, c'est toi qui m'as amené.

— Garde. L'argent du jeu appartient à celui qui l'a gagné. Les pertes aussi. D'ailleurs je ne suis pas malheureux. J'ai joué comme toi, en face de toi. Mais tu étais tellement excité que tu ne m'as même pas vu.

Bernard repartait avec un peu plus de cent mille francs.

— Remarque, je n'aurais pas dû. Tu jouais vraiment n'importe quoi. Sans regarder. Tu ne jouais pas avec la roulette, et ça c'est grave. Remarque, la première fois c'était forcé que tu aies de la chance. Attention à la seconde. Je connais quantité de types qui pourrissent au placard parce que, la première fois, ils ont gagné aux courses. J'organise une fois par an un séminaire dans une ville de casino. Jamais deux. Je me connais, je ne peux pas m'arrêter. Heureusement qu'à Paris il n'y en a pas, sinon des cercles sinistres, où la roulette est interdite. Sans ça je serais déjà clochard.

Laurent avait commandé une bouteille de Dom Pérignon, d'un bon millésime.

— Tu te rends compte, j'ai gagné plus en une heure, en regardant tourner une bille, que pendant quatre mois en étant prof. C'est dément.

— C'est le jeu. Je me demande si je n'ai pas eu tort de t'emmener. Je suis sûr que tu vas y retourner demain soir, et rester jusqu'à ce que tu n'aies plus un rond. Et vouloir encore y faire un saut dimanche soir avant de repartir. Je vais te donner un conseil : demain je te trouve une fille magnifique, marrante, qui baisera comme une reine, et qui te coûtera deux cents sacs pour une nuit de rêve. Et laisse tomber la roulette. Enfin, comme tu es parti, je sais que tu vas dire non.

— Arrête tes sermons, tu vas me porter la cerise. Donne-moi l'adresse de la fille, j'irai à minuit après avoir gagné ce qu'elle va me coûter.

— Comme tu veux. Au moins j'aurais essayé. Moi, on m'avait prévenu aussi. Pour ce que ça a servi ! On en reparle dimanche matin. A ta santé, flambeur !

Le samedi matin, après un autre exposé d'un commercial débile, et la « réunion informelle » où chacun parlait de filles et de bagnoles, où s'échangeaient des adresses de boîtes et de bars-bordels, Laurent alla faire un tour en ville. A la vitrine d'un antiquaire il tomba en arrêt devant une bague, une opale entourée de diamants. Il entra, paya sans sourciller vingt mille francs, qu'il tira de la liasse du casino qu'il transportait dans sa poche. Le joaillier, saisi devant tout cet argent, lui offrit une bague de jeune fille, un anneau d'or avec un petit saphir, pour Charlotte. Laurent était heureux de partager sa fortune avec ses deux femmes, comme il disait.

A 8 heures du soir il était devant la table verte. Il avait changé dix mille francs, qu'il mit une heure à perdre. Les dix mille suivants partirent plus vite. Quand il était arrivé, on l'avait accueilli comme un habitué, on lui avait ménagé une place, un garçon lui avait apporté une coupe de champagne. Il jouait avec application le treize et le vingt-huit, cinq cents francs, puis deux cents, puis cent francs chaque fois. Quarante-sept fois de suite, ni le treize ni le vingt-huit ne sortirent. Lorsqu'il se leva pour retourner au change, il entendit : Treize, noir, impair et manque. Au bureau il proposa un chèque qu'on lui refusa. Il faillit engager les deux bagues, qu'il avait gardées dans sa poche. Dans un sursaut de honte, il quitta la salle. Sur le trottoir, il retrouva deux billets de cinq cents francs qui s'étaient glissés dans son passeport, hésita à faire demi-tour, eut peur d'être moqué et regagna son hôtel.

Le dimanche matin, Bernard l'attendait pour le petit déjeuner. Dès qu'il vit Laurent, il comprit.

— Tu as tout reperdu ?

— Enfin presque, la moitié. Hier après-midi j'ai acheté une bague pour Viviane, et l'antiquaire m'en a donné une pour Charlotte. Il me reste au moins ça.

— Je ne te quitte pas. Tu serais capable d'aller les revendre, à moitié prix. N'aie pas honte, je sais ce que c'est. J'ai fait pire. Je t'emmène déjeuner avec deux filles de la boîte au Mont-Saint-Michel. J'en mettrai une dans ta voiture pour que tu ne te perdes pas. Après, retour sur Paris. Et si tu veux t'arrêter en route, c'est ton affaire.

10

Salammbô était là, sur le dernier rayon de
la bibliothèque. Dans sa reliure de cuir gris-
vert, un peu métallique, intacte — un miracle
quand on pense aux pérégrinations qu'avait
effectuées le volume, pour se retrouver sur le
comptoir d'un bureau de tabac ! Sur le dos,
coupé de trois nervures, l'or des caractères
avait un peu pâli. Laurent préféra ne pas
l'ouvrir une dernière fois, et le rangea dans un
porte-documents, puis écarta les autres livres
pour faire disparaître le vide laissé par Flaubert.

Il enrageait d'en être arrivé là, quasiment
réduit à se voler, à se dépouiller lui-même, à
bazarder son passé pour un présent qui ne
valait plus rien. Il s'en voulait de n'avoir
jamais pu, aussi loin qu'il s'en souvienne,
dominer l'argent, auquel il n'attachait pas de
valeur, qu'il méprisait ; d'avoir au contraire
été mené en laisse, et d'être aujourd'hui abandonné par l'argent comme un vieux chien. Il
était vaincu, donc plus minable que l'argent ;

l'échec total, zéro sur toute la ligne. Cet argent encore, irréel, mythique, enfoui dans des chiffres d'ordinateurs et de conseils d'administration, qui venait de le mettre à la porte.

Laurent n'avait pas la mythologie du travail. Il trouvait les hommes étonnants, presque pervers, de parler de la dignité du travail. On travaillait pour manger; il valait mieux exercer une activité qu'on aime qu'une qui vous dégoûte, ou vous harasse. Point c'est tout. Cela n'entraînait aucune plus-value morale. Au siècle dernier fleurissaient des rentiers qui n'avaient pas honte de l'être. Une situation fort enviable, toute naturelle. Quantité d'hommes et de femmes, de la génération des grands-parents de Laurent, n'avaient jamais rien fait de leurs dix doigts. Aujourd'hui le rentier était une espèce fossile, un ornithorynque. Les temps modernes rangeaient ceux qui ne travaillaient plus dans deux tiroirs également horribles: les retraités, qui attendaient de partir à la casse, et les chômeurs, qui y étaient déjà, et survivaient absurdement. Laurent se demandait souvent s'il n'aurait pas été plus charitable de lui administrer, dans son sommeil, une piqûre libératrice, plutôt que de lui envoyer cette lettre sans appel.

Le chômage s'étalait en gros caractères dans tous les journaux, les présentateurs de télévision en donnaient régulièrement le chiffre, comme ceux du loto ou des températures prises sous abri, mais Laurent ne connaissait pas un seul chômeur, avant de le devenir lui-même. De la même manière, il était passé des dizaines de fois devant la Santé, sans comprendre que c'était une prison. Sans y penser. Il avait fallu les photos d'un reportage, dans un magazine, pour qu'il fasse le rapprochement.

Quand il avait été licencié, malgré ce qu'il avait dit à Bernard, Laurent était sûr qu'il retrouverait immédiatement un emploi. Il se félicitait presque de cet argent qui lui venait en plus, par un délicieux hasard. C'est pour cette raison, entre autres, qu'il n'avait parlé de rien à personne, même pas à Viviane. Or tout ce qu'il avait trouvé, c'était du temps à perdre, du temps illégitime, illégal. Un de ses amis avocat, à qui il avait réclamé le secret absolu, était allé à Zurich régler la question de ses indemnités. Bien moins importantes qu'il ne l'escomptait. Son salaire n'avait en effet pratiquement pas augmenté depuis qu'il était entré dans l'entreprise. Il gagnait davantage chaque année, mais par un système compliqué de primes, qui n'avaient pas été prises en compte dans le calcul. L'avocat avait aussi chargé sa secrétaire de régler les formalités du chômage. Laurent s'était rendu dans un bureau propre et anonyme, clair, plein de plantes vertes, déposer son dossier. Un jeune homme souriant l'avait regardé, avait jaugé d'un œil expert la qualité de ses vêtements, puis examiné les papiers.

— Je ne voudrais pas vous décourager mais, dans l'état du marché, un plombier se recase plus facilement qu'un cadre supérieur. Vous venez de l'industrie du livre ? C'est un monde fermé, où chacun se connaît. Cela simplifiera peut-être vos recherches. En tout cas, si nous avons quelque chose qui nous semble dans vos cordes nous vous préviendrons immédiatement. Chez vous ?

— Je préférerais poste restante, au bureau de mon quartier.

— Je comprends. C'est généralement ainsi qu'on nous demande de procéder. Pour percevoir les allocations, il vous suffira de venir signer à la fin de chaque mois. Sauf si vous retrouvez une place entre-temps. Dans ce cas soyez aimable de nous prévenir. Et bonne chance, cher monsieur.

Après avoir reçu la lettre, Laurent avait pu conserver son bureau pendant un mois. Depuis dix ans qu'il achetait les droits des livres, pour des sommes de plus en plus considérables, que son département se développait, il connaissait les directeurs commerciaux, et aussi les responsables littéraires et les patrons des maisons d'édition. Au début on s'était méfié de cette entreprise qui prétendait, sans vergogne, vendre des livres comme n'importe quel autre produit. Puis chacun y avait vu son intérêt, d'autant que, la demande croissant, il avait imposé de publier aussi des livres d'aventures, des essais, des nouveautés.

Grand public, cela n'est pas toujours exclusif de qualité. Les historiens, particulièrement, lui avaient fourni la matière d'un succès commercial considérable.

Voilà bien longtemps qu'il ne signait plus les notes, au restaurant. On l'invitait, on lui présentait les auteurs des ouvrages qu'on voulait lui vendre, on l'entourait. De plus, dans ce système marchand qui voulait conserver des alibis esthétiques, il était du côté de la littérature, donc parfaitement fréquentable, même en dehors des affaires.

Aujourd'hui, il était passé brutalement d'acheteur à vendeur, et ce qu'il avait à vendre ce n'était plus un écrivain mais lui-même. Avec toutes les chances, s'il y parvenait, de prendre la place d'un de ses interlocuteurs. L'affaire n'était pas simple. S'il disait tout de go qu'il avait été remis sur le marché, personne ne voudrait de lui. Il fallait faire croire qu'on lui proposait quelque chose de plus avantageux, d'intellectuellement plus rutilant, et qu'il n'acceptait qu'à contrecœur d'abandonner ces fonctions. Fonctions qu'il avait perdues, certes, mais nul ne le savait. Pas encore.

C'était compter sans la rapidité avec laquelle circulent les nouvelles, dans un cercle aussi restreint. Surtout les mauvaises. Il n'avait pas donné deux coups de téléphone que les gens du métier étaient au courant, et pariaient déjà sur le nom de son remplaçant.

165

Pour les deux derniers contrats qu'il devait signer, après les avoir négociés lui-même, c'est tout juste si on ne lui demanda pas une autre signature, plus autorisée.

Laurent dut lâcher le morceau, faire circuler publiquement ses offres de service. Sans résultat. Son carnet de rendez-vous se déplumait comme un tilleul en octobre. Il tombait sans cesse sur le jour où ses correspondants étaient en réunion, en séminaire, en déplacement à l'étranger ou en congé de maladie. La seule proposition sérieuse qu'il eut consistait à détourner les fichiers de la maison, et il se fit traiter de pauvre type quand il refusa.

Il comprit combien sa situation devenait précaire. Trop commercial pour être reconnu par les littéraires, trop littéraire pour être pris au sérieux par les commerciaux, il n'avait pas sa place. Il songea alors à créer sa propre boutique, mais les financiers qu'il connaissait furent réticents. Le marché du livre se faisait chaque jour plus dur, de moins en moins rentable.

Pendant un mois à son bureau, puis quinze jours chez lui, sous prétexte d'un congé exceptionnel, de jours de vacances qu'il avait laissés s'accumuler, il téléphona sans relâche. Puis il se rabattit sur les cabines publiques, et les bistrots. Les contacts devenaient difficiles, lointains, avec ceux dont, naïvement, il avait cru que, de simples relations, ils étaient devenus des amis.

166

Une fois même, à bout de souffle, il décida d'appeler Bernard. Voilà plus d'un an qu'il n'avait pas donné signe de vie, et Laurent ne s'en était pas étonné. Lorsque la standardiste décrocha, il ne reconnut pas sa voix. Encore une qu'on avait dû remplacer. Il demanda Bernard, s'entendit répondre que M. Descombes ne faisait plus partie de la société.

— Depuis combien de temps ?

— Je ne sais pas, monsieur, je suis nouvelle.

Bernard qui se croyait inamovible, tant il était anonyme ! Ils avaient dû trouver plus anonyme que lui. Il composa le numéro de son appartement. Un disque répétait : Il n'y a plus d'abonné au numéro que vous avez demandé. On ne pouvait même plus partager son malheur.

Laurent n'en sortait pas. Au bureau du chômage, rien. Il s'était renseigné au ministère de l'Éducation nationale : sa démission était irrévocable. Compte tenu de son titre d'ex-agrégé, on pouvait lui offrir, dans le meilleur des cas, un poste de professeur adjoint dans un collège, en province. Il avait décliné.

En attendant, il fallait bien survivre. Les indemnités avaient permis d'éteindre les dettes, d'acquitter des factures qui croupissaient, de payer deux ans d'impôts en retard. Pendant douze mois l'allocation de chômage avait assuré, pour l'essentiel, la vie quotidienne. Depuis trois mois, c'était la cavale.

Laurent avait appelé une fille qui travaillait avec lui, dans un autre service, une battante, dont le métier était la seule vraie passion, mais qui aimait aussi l'amour. Quelquefois, à l'occasion de week-ends de travail, ils avaient passé la nuit ensemble. Elle ne savait pas ce que Bernard était devenu, proposa à Laurent de le rencontrer, un soir prochain, à l'apéritif. Lorsqu'elle comprit à quelles difficultés il se heurtait, elle sortit gentiment son chéquier.

— Tu veux que je te prête cinq mille francs ?

C'était trop ou trop peu, il la remercia en l'embrassant, et lui laissa payer les verres.

— Je peux au moins faire ça pour toi. Tu aurais dû m'appeler plus tôt. Si jamais j'entends parler de quelque chose...

Elle n'avait pas rappelé.

Laurent, vu la rapidité avec laquelle ses relations d'affaires s'étaient évanouies, avait décidé de laisser ses vrais amis, et ceux de Viviane, à l'écart de ses difficultés. Il ne tenait pas à les perdre. Pourtant, à la fin, il lui fallut bien accepter de s'adresser aux proches. Laurent déjeuna avec l'un des plus solides, susceptible de savoir l'aider. Parce qu'il en avait besoin, et aussi pour l'éprouver, il lui demanda quarante mille francs.

— Juste pour passer un mauvais moment ; je te les rends dans six mois.

168

— Tu as encore perdu à la roulette ?

— C'est pire, j'ai perdu mon job. Il y a un an. Je pensais retrouver une place tout de suite, mais c'est plus compliqué que je ne croyais. J'y arriverai sûrement, mais il me faut du temps.

— Tu n'as pas eu d'indemnités ?

— Heureusement, si. Et le chômage. Mais ce n'est jamais autant qu'on croit. En un an tout a filé.

— Tu aurais pu m'avertir plus tôt. Tu me vexes. J'aurais certainement cherché de mon côté.

— Enfin, le service que tu peux me rendre, à présent, c'est ça : quarante mille balles pour six mois.

— Je ne sais pas si je les ai. Il faut que je voie, que j'en parle à mon banquier. Depuis quelque temps, il me conseille des opérations en bourse. Ça rapporte, mais pas si on revend tout de suite. Les frais bouffent tous les bénéfices. Alors mon fric est bloqué. Rappelle-moi après-demain.

Laurent n'avait pas retéléphoné.

L'argent ne s'était pas contenté de lui user la vie, et maintenant de l'étrangler. Il pourrissait aussi l'amitié. Évidemment, Laurent était dans la plus lamentable des postures, il quémandait. Il lui semblait pourtant que, dans la situation inverse, il n'aurait pas hésité à vendre ses Suez ; s'il en avait acheté, supposition loufoque. Peut-être se voyait-il meilleur qu'il ne l'était. Avec des si on fait des saints. Il avait compris, en tout cas, qu'il valait mieux renoncer à de telles tentatives.

Il continuait mécaniquement ses coups de téléphone, répondait aux annonces du *Monde* et de *L'Express*. Trois fois il fut convoqué, trois fois des chasseurs de têtes le regardèrent, apitoyés. Il était trop vieux.

— Inutile de vous leurrer. Pardonnez-moi ma franchise, mais le travail est sans pitié. Jamais personne de plus de quarante ans.

L'un d'eux ajouta, faussement cynique :

— C'est la même chose pour tout le monde ; vous savez, dans dix ans je ne vaudrai plus rien.

Il s'accrochait quand même, sans illusion. Combien de temps durerait cette fuite en avant ? Tant qu'il aurait de l'énergie, mais il s'épuisait. Le plus pénible, c'était de tuer le temps. Quand on travaille on rêve de loisirs, de respirations, de parenthèses. Quand on ne fait plus rien on ne sait pas à quoi s'occuper. Laurent se souvenait d'un personnage de Simenon, un petit employé qui, un jour, avait gagné à la loterie. Sans rien dire à sa femme et à ses enfants, qui lui rendaient la vie infernale, il quitte son emploi. Pourtant, il part tous les matins à la même heure, sa gamelle de midi à la main. Alors il se rend dans un appartement qu'il a loué, sur un quai de la Seine, où il élève des centaines de canaris, sa passion. S'il fait beau il descend, pêche à la ligne tout l'après-midi dans le fleuve, remonte faire frire ses poissons. Puis, toujours à l'heure, il rentre dans sa banlieue.

Laurent vivait cela à l'envers. Il partait vers dix heures, épluchait les annonces, déjeunait où il pouvait, dans un boui-boui bon marché. S'il y avait du soleil, il mangeait, sur un banc, un hot-dog, et s'amusait du goût lamentable de la saucisse et du pain mou. L'après-midi il allait au cinéma, voir n'importe quoi, et passait à la poste, avant de rentrer chez lui. Le plus souvent, il n'y avait pas de courrier. Le soir, à table, il devait se surveiller pour ne pas se couper. La même comédie se reproduisait le lendemain.

Ce matin-là au moins il allait se passer quelque chose. Il était malade de vendre ce livre ; la tentation le démangea d'appeler un brocanteur pour qu'il déménage l'appartement, ce bric-à-brac d'objets coûteux et inutiles, jusqu'au dernier bouton de porte ; il rêva d'un incendie qui supprimerait les dernières traces de son existence. Une promenade dans le néant, où il respirerait un air pur qui le rafraîchirait. C'était idiot, il le savait : l'enfant qui ferme les yeux bien fort ou qui souhaite que ce soit la guerre, pour voir disparaître la tasse à café cassée sur le carreau de la cuisine.

Quand il tendit le volume, le libraire le saisit avec autant de respect qu'un ayatollah le manteau de Mahomet. Il l'ouvrit, attentif, lut lentement l'envoi. Sur la table, une photographie de la signature de Flaubert. Il la compara avec celle de la dédicace. S'en fut à la fin du livre, vérifier le nombre de pages. Puis revint à la page de titre. Enfin s'assura que la justification de tirage correspondait bien aux renseignements d'un gros catalogue, ouvert à la lettre S.

— Vous avez raison, monsieur ; l'exemplaire est unique. Permettez que je donne un coup de téléphone.

Il se retira dans l'arrière-boutique, derrière une tenture, revint quelques minutes après. En l'attendant Laurent avait admiré la table Louis XVI, dont on avait changé le cuir du plateau avec infiniment de soin.

— Il fallait que je consulte un collègue. La somme est forte, je dois prendre des assurances. Je peux vous proposer cent mille francs.

Laurent s'attendait à un chiffre élevé, mais pas tant. Le libraire se méprit.

— Vous trouvez que c'est trop peu ? Franchement, si le livre passait aux enchères à Monaco ou chez Sotheby's, peut-être monterait-il davantage, vingt ou trente mille francs de plus. Mais il faudrait attendre, et les enchères sont parfois décevantes. La somme que je vous propose, je peux vous la donner sur-le-champ, en argent liquide. Parce que j'ai un acquéreur, la bibliothèque d'une université américaine. Vous voyez, je ne vous cache rien. J'avoue que je donnerais beaucoup pour le garder chez moi, cet exemplaire. Mais dans notre métier on ne devient pas milliardaire, je vous l'ai déjà dit.

Laurent avait acquiescé, le livre était vendu, parti pour toujours. Le libraire était à nouveau passé derrière la tenture ; on entendait les déclics d'une serrure compliquée, sans doute un coffre-fort. Puis l'enveloppe fut sur la table, une enveloppe de papier kraft brut, banale.

— Je vous ai déjà versé cinq mille francs. En voici quatre-vingt-quinze mille. Si vous voulez recompter.

Laurent glissa l'enveloppe dans son porte-documents.

— Et votre exemplaire des *Pensées* ?

Laurent l'avait oublié. Une autre fois, peut-être. Il repoussa sa chaise, remercia.

— Juste une signature, au bas du reçu. Simplement pour la forme. Les livres, comme les objets d'art, échappent à l'impôt, vous le savez ? Vous n'aurez pas besoin de faire figurer cette somme sur votre déclaration.

Dehors il faisait beau. Avec cet argent, Laurent allait pouvoir passer le cap des vacances, et même récupérer sa voiture et payer la pension du chien. A la rentrée la situation serait peut-être meilleure. En août le marché du livre travaille déjà pour le dernier trimestre.

Il s'assit à la terrasse des Deux Magots, faisant pour la première fois une infidélité au Flore. Parce qu'il s'agaçait de voir ce bistrot se transformer, se moderniser, perdre son charme. Un immense miroir, par exemple, cachait désormais la table où les garçons, le matin, remplissaient méticuleusement les petits pots de beurre. Quand cesserait-on de tolérer que tout soit saccagé ? Aller boire aux Deux Magots était une protestation muette, symbolique en effet. La frontière entre les deux établissements était si étanche que la légende prêtait à Sartre cette observation : on peut parfaitement avoir en même temps deux maîtresses, et sans drame, à condition de toujours retrouver l'une au Flore et l'autre aux Deux Magots.

Boulevard Saint-Germain la circulation était bloquée par deux bus qui, descendant la rue de Rennes, avaient tenté de forcer le passage. Le hurlement des klaxons était insupportable. Pas de taxi devant chez Lipp. Autant prendre le métro.

Voilà plusieurs années que Laurent n'y était pas descendu. Il le détestait. L'hiver on y a chaud, mais l'odeur est intolérable. L'été on y étouffe.

Aujourd'hui pourtant, la sagesse le commandait. Il traversa vers l'église. Au coin du boulevard, une vieille femme avait étalé sur le sol une petite brocante misérable et joyeuse. Une boîte à biscuits en métal, deux ou trois bracelets de matière plastique colorée, un livre de poche défraîchi, un bout de dentelle. Les passants suivaient leur chemin, indifférents ; l'un d'eux, peut-être bousculé, écrasa un bracelet. Laurent fut scandalisé de tant de méchanceté banale. Il s'arrêta, demanda le prix de la dentelle, tendit cinquante francs. La vieille le remerciait encore lorsqu'il descendit les marches du métro. Il acheta un billet.

— Un billet ou un carnet ?

— Un billet de première.

Un portillon l'arrêta, il dut observer les autres voyageurs pour comprendre : on introduisait le billet dans une fente qu'il n'avait pas remarquée, et la machine le recrachait, en débloquant le portillon.

Le poinçonneur de Gainsbourg devait être au musée Grévin.

Le garage se trouvait rue d'Alésia, il prit le couloir porte d'Orléans.

Une chance, c'était direct.

Les quais étaient à peu près déserts. Entre les rails, des tas de mégots, comme si les usagers prenaient la voie pour un énorme cendrier. Au milieu des mégots, une pile électrique, une paire de lunettes de soleil. Il se demanda lequel de ces rails était électrifié. Un jour, enfant, il avait vu une grenouille traverser la ligne du petit chemin de fer de Chamonix. Elle avait sauté sur la crémaillère, il y avait eu une étincelle, et la bestiole était retombée sur le ballast, tuée net. Si l'on tombait, mourait-on électrocuté ?

Laurent chercha de l'œil ces machines à bonbons qui l'avaient amusé, la première fois qu'il était venu à Paris. Pour une pièce, on obtenait des caramels, des cachous, un ruban de réglisse enroulé autour d'une perle de sucre, des anis de Flavigny. Il glissa une pièce, reçut une boîte d'anis. Il la donnerait à Charlotte, elle adorait les sucreries.

Sur un banc, contre le mur carrelé, un clochard étendu s'ébrouait, se passait la main dans les cheveux. Laurent le regardait sans lui prêter d'attention particulière, comme ces incidents de la rue dont on note simplement, au passage, une couleur ou un bruit. Ce qui l'avait arrêté, c'était la figure de l'homme, très belle, lourde, avec une barbe de trois jours, grisonnante. Des épaules carrées, une allure de pirate, ou de coureur de brousse, qui dormait dans le métro aussi tranquille que dans la jungle amazonienne. Quand il bâilla, ses gencives édentées lui donnèrent une expression de vieille femme, incongrue. Il s'était assis, fouillait dans un sac en plastique, à ses pieds, de plus en plus énervé. Il se leva en criant :

— Ma bouteille ? Où est ma bouteille ? Quel est le salaud qui m'a pris ma bouteille ?

La scène devenait stupide. Laurent se détourna. Les rares personnes qui se trouvaient sur le quai feignaient de ne rien entendre. Le clochard s'en prenait à Laurent.

— C'est pas toi qui as pris ma bouteille ? Oui toi, là.

Laurent faillit lui donner dix francs, qu'il s'en achète une autre. Et puis, après tout, il n'en avait rien à faire.

Le type, dans son dos, grognait toujours. Il avait sorti du sac des chiffons, une boîte à pansements crasseuse, un tricot informe, enfin un litre vide.

— Qui est-ce qui l'a bu, mon pinard ? Qui c'est, le salaud ? C'est toi, je suis sûr.

Laurent était de plus en plus mal à l'aise. La rame mettait du temps à venir. Et cet homme, derrière lui, qui continuait à grommeler des insultes. Brusquement, il vit, sur le quai d'en face, une femme ouvrir grande la bouche, pour hurler. A la même seconde, un coup terrible le frappa dans les reins ; il se retrouva couché sur la voie, incapable de bouger. Sa jambe droite le faisait pleurer de douleur. Sa cheville était sans doute brisée, sa chaussure droite coincée entre deux rails. La rame jaillit alors du tunnel, freina sans pouvoir s'arrêter. Les deux phares de la locomotrice, jaunes comme les yeux de Mégère, le fixaient. Il allait mourir, il était débarrassé.

Il sentit alors sous ses doigts le cuir du porte-documents. C'était trop bête.

Montbarrois, Paris, 1987.

Littérature

Cette collection est d'abord marquée par sa diversité : classiques, grands romans contemporains ou même des livres d'auteurs réputés plus difficiles, comme Borges, Soupault, Goes. En fait, c'est tout le roman qui est proposé ici, Henri Troyat, Bernard Clavel, Guy des Cars, Alain Robbe-Grillet, mais aussi des écrivains tels que Moravia, Colleen McCullough ou Konsalik.

Les classiques tels que Stendhal, Maupassant, Flaubert, Zola, Balzac, etc. sont publiés en texte intégral au prix le plus bas de toute l'édition. Chaque volume est complété par un cahier photos illustrant la biographie de l'auteur.

MARTINO Bernard	**Le bébé est une personne**	2128/3★
MATTHEE Dalene	**Des cercles dans la forêt**	2066/4★
MAUPASSANT Guy de	**Une vie** 1952/2★	
	L'ami Maupassant 2047/2★	
MAURE Huguette	**Vous avez dit l'amour ?** 2267/3★	
MERMAZ Louis	**Madame de Maintenon** 1785/2★	
	Un amour de Baudelaire 1932/2★	
MESSNER Reinhold	**Défi - Deux hommes, un 8000** 1839/4★ illustré	
MICHAEL Judith	**L'amour entre les lignes** 2441/4★ & 2442/4★	
MODIANO P. & LE-TAN P.	**Poupée blonde** 1788/3★ illustré	
MONSIGNY Jacqueline	**Michigan Mélodie (Un mariage à la carte)** 1289/2★	
	Les nuits du Bengale 1375/3★	
	L'amour dingue 1833/3★	
	Le palais du désert 1885/2★	
	Le roi sans couronne 2332/6★	
MONTLAUR Pierre	**Imhotep** 1986/4★	
	Nitocris 2154/4★	
MORAVIA Alberto	**La Ciociara** 1656/4★	
	L'homme qui regarde 2254/3★	
MORRIS Edita	**Les fleurs d'Hiroshima** 141/1★	
MURAIL Elvire	**Les mannequins d'osier** 2559/3★ (avril 89)	
NASTASE Ilie	**Tie-break** 2097/4★	
	Le filet 2251/3★	
NELL DUBUS Elizabeth	**Beau-Chêne** 2346/6★	
	L'enjeu de Beau-Chêne 2413/6★	
ORIEUX Jean	**Catherine de Médicis** 2459/5★ & 2460/5★	
ORIOL Laurence	**Thérèse Humbert** 1838/2★	
OWENS Martin	**Le secret de mon succès** 2216/3★	
PARTURIER Françoise	**Calamité, mon amour** 1012/4★	
	Les Hauts de Ramatuelle 1706/3★	
PAULHAC Jean	**Les herbes de la Saint-Jean** 2415/5★	
PAUWELS Marie-Claire	**Mon chéri** 2599/2★ (juin 89)	
PEGGY	**Cloclo notre amour** 2398/3★	
PERRIN Elula	**Les femmes préfèrent les femmes** 1874/3★	
PEYREFITTE Roger	**Les amitiés particulières** 17/4★	
	La mort d'une mère 2113/2★	
PIRANDELLO Luigi	**Le mari de sa femme** 2283/4★	
PLAIN Belva	**Tous les fleuves vont à la mer** 1479/4★ & 1480/4★	
	La splendeur des orages 1622/5★	
	Les cèdres de Beau-Jardin 2138/6★	
	La coupe d'or 2425/6★	
POE Edgar Allan	**Le chat noir et autres récits** 2004/3★	
POUCHKINE Alexandre	**Eugène Onéguine** 2095/2★	

SCOTT Paul	*Le joyau de la couronne (Le quatuor indien)* :
	- Le joyau de la couronne 2293/**5**★
	- Le jour du scorpion 2330/**5**★
	- Les tours du silence 2361/**5**★
	- Le partage du butin 2397/**7**★
SEGAL Erich	*Love story* 412/**1**★
	Oliver's story 1059/**2**★
	Un homme, une femme, un enfant 1247/**2**★
SEGAL Patrick	*Quelqu'un pour quelqu'un* 2210/**4**★
SÉRILLON Claude	*De quoi je me mêle* 2424/**2**★
SIENKIEWICZ Henryk	*Quo vadis ?* 2255/**4**★
SIM	*Elle est chouette, ma gueule !* 1696/**3**★
	Pour l'humour de Dieu 2001/**4**★
	Elles sont chouettes, mes femmes 2264/**3**★
SINCLAIR-KHARBINE Noémi	*Le berceau mandchou* 2511/**4**★
SOLDATI Mario	*L'épouse américaine* 1989/**3**★
SOUPAULT Philippe	*Le grand homme* 1759/**3**★
	Le nègre 1896/**2**★
	En joue ! 1953/**3**★
SPALDING Baird T.	*La vie des Maîtres* 2437/**5**★
STEEL Danielle	*Leur promesse* 1075/**3**★
	Une saison de passion 1266/**4**★
	Un monde de rêve 1733/**3**★
	Celle qui s'ignorait 1749/**5**★
	L'anneau de Cassandra 1808/**4**★
	Palomino 2070/**3**★
	Souvenirs d'amour 2175/**5**★
	Maintenant et pour toujours 2240/**6**★
STENDHAL	*Le rouge et le noir* 1927/**4**★
STEWART Fred Mustard	*Les portes de l'espoir* 1987/**4**★
STRIEBER Whitley	*Communion* 2471/**4**★
SULITZER Paul-Loup	*Popov* 1865/**4**★
SUMMERS Anthony	*Les vies secrètes de Marilyn Monroe* 2282/**6**★
SWINDELLS Madge	*Tant d'étés perdus* 2028/**6**★
	Écoute ce que dit le vent 2280/**6**★
TCHERINA Ludmila	*L'amour au miroir* 1789/**3**★
THOMAS Bernard	*Aurore* 2027/**5**★
THOMAS Eva	*Le viol du silence* 2527/**3**★
TINE Robert	*Tucker* 2506/**3**★
TROYAT Henri	*La neige en deuil* 10/**1**★
	La lumière des justes :
	1- Les compagnons du coquelicot 272/**3**★
	2- La barynia 274/**3**★
	3- La gloire des vaincus 276/**3**★
	4- Les dames de Sibérie 278/**3**★
	5- Sophie ou la fin des combats 280/**3**★

Romans sentimentaux

Depuis les ouvrages de Delly, publiés au début du siècle, la littérature sentimentale a conquis un large public. Elle a pour auteur vedette chez J'ai lu la célèbre romancière anglaise Barbara Cartland, la Dame en rose, qui a écrit près de 300 romans du genre. À ses côtés, J'ai lu présente des auteurs spécialisés dans le roman historique, Anne et Serge Golon avec la série des Angélique, Juliette Benzoni, des écrivains américains qui savent faire revivre toute la violence de leur pays (Kathleen Woodiwiss, Rosemary Rogers, Janet Dailey), ou des auteurs de récits contemporains qui mettent à nu le coeur et ses passions, tels que Theresa Charles ou Marie-Anne Desmarest.

BÉARN Gaston & Myriam de	**L'or de Brice Bartrès** 2514/**4**★
BENZONI Juliette	**Marianne** 601/**4**★ & 602/**4**★
	Un aussi long chemin 1872/**4**★
	Le Gerfaut :
	- Le Gerfaut 2206/**6**★
	- Un collier pour le diable 2207/**6**★
	- Le Trésor 2208/**5**★
	- Haute-Savane 2209/**5**★
CARTLAND Barbara	**Les seigneurs de la côte** 920/**2**★
	Le secret de Sylvina 1032/**2**★
	La splendeur de Ventura 1155/**2**★
	Les deux cousines 1384/**3**★
	Le port du bonheur 1522/**2**★
	Un amour imprévu 1538/**2**★
	L'ingénue criminelle 1553/**2**★
	La fiancée pour rire 1554/**2**★
	Un souhait d'amour 1792/**2**★
	Thérésa et le tigre 1912/**2**★
	Pour l'amour d'un roi 1913/**2**★
	La force d'une passion 1990/**2**★
	La princesse oubliée 1991/**2**★
	Le marquis et l'ingénue 2068/**2**★
	Prise au piège 2082/**2**★
	L'amour retrouvé 2130/**2**★
	Le baiser devant le Sphinx 2217/**2**★
	Loin de l'amour 2243/**2**★
	Le secret de l'Écossais 2257/**2**★
	La gondole d'or 2286/**2**★
	Toujours plus haut l'amour 2301/**2**★
	Le chemin de l'amour 2318/**2**★
	Le secret d'Anouchka 2335/**2**★
	Le signe de l'amour 2349/**2**★

DAILEY (suite)	*La saga des Calder :*
	- La dynastie Calder 1659/4★
	- Le ranch Calder 2029/4★
	- Prisonniers du bonheur 2101/4★
	- Le dernier des Calder 2161/4★
DESMAREST Marie-Anne	*Torrents 970/3★*
FIELDING Joy	*La femme piégée 1750/3★*
GOLON Anne et Serge	*Angélique, marquise des Anges 2488/7★*
	Angélique, le chemin de Versailles 2489/7★
	Angélique et le Roy 2490/7★
	Indomptable Angélique 2491/7★
	Angélique se révolte 2492/7★
	Angélique et son amour 2493/7★
	Angélique et le Nouveau Monde 2494/7★
	La tentation d'Angélique 2495/7★
	Angélique et la Démone 2496/7★
	Le complot des ombres 2497/5★
	Angélique à Québec 2498/5★ & 2499/5★ (89)
	La route de l'espoir 2500/7★ (mai 89)
	La victoire d'Angélique 2501/7★ (juin 89)
HULL E.M.	*Le Cheik 1135/2★*
LAKER Rosalind	*La femme de Brighton 2190/4★*
	Le sentier d'émeraudes 2351/5★
	Splendeur dorée 2549/4★
LINDSEY Johanna	*Un si cher ennemi 2382/3★*
	Samantha 2533/3★
McBAIN Laurie	*Les larmes d'or 1644/4★*
	Lune trouble 1673/4★
	L'empreinte du désir 1716/4★
	Le Dragon des mers 2569/4★ (avril 89)
	Les contrebandiers de l'ombre 2604/4★ (juin 89)
MONSIGNY Jacqueline	*Michigan Mélodie (Un mariage à la carte) 1289/2★*
(voir aussi p.12)	*Les nuits du Bengale 1375/3★*
	L'amour dingue 1833/3★
	Le palais du désert 1885/2★
MULLEN Dore	*Le lys d'or de Shanghai 2525/3★*
NICOLSON Catherine	*Tous les désirs d'une femme 2303/4★*
PARETTI Sandra	*L'oiseau de paradis 2445/4★*
ROGERS Rosemary	*Amour tendre, amour sauvage 952/4★*
	Jeux d'amour 1371/4★
	Le grand amour de Virginia 1457/4★
	Au vent des passions 1668/4★
	La femme impudique 2069/4★

2541

Impression Brodard et Taupin
à La Flèche (Sarthe) le 8 février 1989
6279A-5 Dépôt légal février 1989
ISBN 2-277-22541-X
Imprimé en France
Editions J'ai lu
27, rue Cassette, 75006 Paris
diffusion France et étranger : Flammarion